CW00391960

Poesía

Letras Hispánicas

Fray Luis de León

Poesía

Edición de Juan Francisco Alcina

DECIMOCUARTA EDICIÓN

CÁTEDRA

LETRAS HISPÁNICAS

1.ª edición, 1986
14.ª edición, 2015

Ilustración de cubierta: Juan Savater

© Ediciones Cátedra (Grupo Anaya, S. A.), 1986, 2015
Juan Ignacio Luca de Tena, 15. 28027 Madrid
Depósito legal: M. 7.241-2011
I.S.B.N.: 978-84-376-0613-2
Printed in Spain

Índice

Introducción

Una poesía moral

La poesía original de Fray Luis[1] trata de moral cotidiana, excepto un número pequeño de odas de temática estrictamente religiosa. Todas ellas versan sobre lo que debe hacer el hombre para alcanzar la armonía y el justo medio como fines del individuo. Esa búsqueda de armonía naturalmente coincide en el cristiano Fray Luis con la búsqueda de Dios. Pero a menos que demostremos interpretaciones

---

[1] La vida de Fray Luis es bien conocida. Aquí, baste recordar que nació en Belmonte (Cuenca) en 1527, en el seno de una familia de hidalgos de origen judío que había sufrido los embates de la Inquisición. Entre otros parientes, la bisabuela había sido reconciliada en un auto de fe en Cuenca (1512). Su padre, Lope de León, ejerció como abogado en la corte, y, en 1541, fue nombrado Oidor de la Cancillería de Granada. Un tío suyo fue catedrático de Cánones en Salamanca. En 1541 comienza sus estudios en Salamanca. En 1544 profesa como fraile agustino. Se matriculó en Alcalá en 1556 para ampliar estudios con Cipriano de la Huerga. En 1557-58 visitó Toledo y allí se graduó de Bachiller. En 1560 adquiere los grados de Licenciado y el costosísimo de Maestro de Teología. En 1561 gana, en Salamanca, la cátedra de Santo Tomás y en 1565 la de Durando. La pugna entre dominicos y agustinos se acentúa en torno a la aprobación de la Biblia de Vatablo. En 1571, el dominico Bartolomé Medina denuncia ante la Inquisición al poeta. En 1572 se le encierra en Valladolid hasta 1576, fecha en que se le exonera de los cargos y puede regresar a su cátedra en Salamanca. En 1578 oposita a la cátedra de Filosofía Moral. En ella explica la *Ética* de Aristóteles. En 1579 logra finalmente la cátedra de Sagrada Escritura. A partir de entonces empieza a publicar: en 1580 los comentarios *In Cantica Canticorum* e *In Psalmum XXVI*, en 1583 sus primeras obras en castellano, *La Perfecta Casada* y *Los Nombres de Cristo;* en 1588 se encarga de la publicación de las obras de Sta. Teresa. Publica también en ese periodo una pequeña parte de sus obras latinas sobre exégesis bíblica y teología. Muere en 1591 ocupando el cargo de Provincial de los Augustinos en Castilla.

alegóricas difícilmente verificables, en su poesía, al igual que en *Los Nombres de Cristo,* se refiere al individuo que actúa en función de esta sociedad.

La moralidad estoico-epicúrea que presenta se opone en algunos casos a la moral cristiana tradicional. Justamente señala Agnes Heller que «la adopción y difusión de esta forma de comportamiento vital estoico fue una de las maneras como se llevó a cabo la secularización de la ética»[2]. Es paradójico, por ejemplo, el rechazo de la esperanza en diversos pasajes poéticos luisianos (como I,40 u VIII,35), entendida como vicio estoico, y el tratamiento de la esperanza como virtud en el tratado *De Spe.* La explicación es que en la poesía original se mueve a un nivel secular, de moral cotidiana, como la lengua en que se expresa, y en cambio, en el *Tractatus de Spe* se mueve a un nivel de técnico en Teología[3] y experto en santo Tomás, al que hace una serie de correcciones[4], y se dirige a lectores del gremio. Es una doble verdad similar al doble concepto de fortuna en Juan de Mena.

Como los estoicos, Fray Luis rechaza la sociedad para la que escribe[5]. Repudia la inquietante moral burguesa, el lu-

---

[2] A. Heller, *El hombre del Renacimiento,* Barcelona, 1980, pág. 111.

[3] Como señala C. Cuevas (F. Luis, *De los Nombres de Cristo,* Madrid, 1982, pág. 27 y ss.), el convento de San Agustín de Salamanca al que pertenecía el poeta es uno de los centros principales de la orden en España, y de sus líneas teológicas y culturales. El agustinismo representa una vía ecléctica intermedia con una versión propia del tomismo y ciertos ribetes nominalistas. Este eclecticismo es imprescindible para comprender la actitud conciliadora y sintética que adopta la obra de Fray Luis.

[4] No hay que olvidar que Fray Luis es principalmente un teólogo y un experto en la Biblia. La mayor parte de su obra gira en torno a los diversos temas que como especialista le interesan y sobre las que imparte sus cursos universitarios, cfr. el libro de A. Guy, *La Pensée de Fray Luis de León: contribution à l'étude de la philosophie espagnole au XVIe siècle,* Limoges, 1943, aunque tanto en la versión amplia francesa como en la abreviada en español (Madrid, 1960) es de un ahistoricismo desesperante, y aunque breve es preferible el articulito de C. G. Noreña, «Fray Luis de Leon and the concern with language», en *Studies in Spanish Renaissance Thought,* La Haya, 1975, págs. 150-209.

[5] Cfr. J. C. Rodríguez «El animismo religioso: Fray Luis de León» en *Teoría e historia de la producción ideológica,* Madrid, 1974, págs. 243-254.

cro capitalista que se esconde detrás de la figura del «avaro» (XVI), la guerra moderna, necesaria pero desdeñable (XXII); el mismo cuerpo femenino, placentero «como cristal lucido y transparente» (IV,57), es también rechazable y debe esconderse bajo «velo santo» (VI,34). Al mismo tiempo Fray Luis defiende (por ejemplo en la oda XXII,15-16) la valoración de la persona por sus méritos y no por su linaje. La burguesía de mérito, la meritocracia, no será viable o imaginable en España hasta el siglo XVIII, y estas ideas, al igual que la misma poesía del agustino quedarán sumidas en la penumbra hasta que los hombres de la Ilustración las revaloricen. Son críticas contradictorias que se entremezclan: actitudes y líneas que coinciden con las aspiraciones de una burguesía junto con posturas medievalizantes de rechazo del cuerpo y del lucro. Estas contradicciones, no hace falta decirlo, no son sólo propias de Fray Luis. Son comunes también a los grupos a los que pertenece el poeta. Forman parte de tradiciones literarias estoicas y cristianas que reflejan las aspiraciones y tensiones de la propia sociedad. Una sociedad que expresa a través de los versos y la lengua luisianos su recién nacido concepto de patria, pero también, en el fondo, como Fray Luis, no acepta los medios para consolidar esa patria.

Por otra parte, hay que recordar que Fray Luis escribe para los mismos grupos que sufren con él los embates de la Inquisición: para Francisco Sánchez, Arias Montano, para sus compañeros hebraístas o para monjas intelectualmente inquietas. La Inquisición como instrumento de valores feudales y popularistas tenía que ser odiada por esos grupos cultos de intereses y aspiraciones muy distintos. Y no es casualidad que los vapulease a todos ellos de forma trágica. Pero Fray Luis, como portavoz de esos grupos, nos dejó en su poesía un sin fin de críticas veladas contra el Santo Oficio. Son versos ambiguos, escritos a veces antes del proceso, por lo que no creo que sirvan para fechar poemas (cfr. *infra* «De cronología»), pero sí debían interpretarlos como críticas sus lectores. Y a veces llega a ser muy virulento, como en XVII, 43-44: «En mí la culpa ajena se castiga / y soy del malhechor, ¡ay! prisionero.». Por la autonomía del texto, esos versos valen más que cualquier proceso público que se le pudiera haber hecho a la nefasta institución. De cualquier manera se trata de críticas difusas y de percepción muy subjetiva. Yo he adoptado una postura conservadora y he señalado en nota sólo los casos que me han parecido más evidentes. Un punto de vista menos temeroso puede encontrarse en Dámaso Alonso[6] y recientemente en Elías Rivers[7] que encuentra alusiones a la cárcel o a su liberación en los poemas XI, XVII, XIX, XXI, XII, XV, XVI, XIV y XXIII.

Es sintomático que sean justamente los ilustrados los que recuperen y hagan hincapié en este aspecto de la biografía de Fray Luis. El primero que habla de la cárcel del poeta es Nicolás Antonio[8], pero de una forma insegura, a partir de una referencia del propio poeta en el *Comentario al Salmo XXVI*. Es Gregorio Mayáns quien antes que nadie busca el proceso de Fray Luis y lo explota, para la *Vida* que se incluye en la edición de 1761 que preparó Vicente Blasco. Los hombres de la Ilustración redescubren a Fray Luis y encuentran en él argumentos para sus posturas religiosas contra el probabilismo, en favor de la lectura vulgar de la Biblia e inician la admiración moderna por el vate agustino[9]. A partir de entonces, la cárcel de Fray Luis se convierte en un aspecto fundamental de su biografía y en un símbolo de la tradicional intransigencia española. Así, en el siglo XIX, el tomo XXXVII de la *Biblioteca de Autores Españoles* preparado por F. Pi i Margall incluye, además de la *Vida* de Mayáns, un amplio extracto del proceso y algunas notas curiosas, como la *Advertencia* preliminar: «Veremos cuán inicuamente puede cebarse la calumnia en los varones más virtuosos. Comprenderemos la influencia de Reforma en los hombres verdaderamente pensadores de

[6] «Vida y Poesía en Fray Luis de León», en *Obra Completa*, II, 1, Madrid, 1973, págs. 799-842.

[7] E. Rivers, *Fray Luis de León. The original Poems,* Londres, 1983, págs. 37-51.

[8] Nicolás Antonio, *Biblioteca Nova*, Madrid, 1788, págs. 45-46.

[9] Cfr. A. Mestre, «El redescubrimiento de Fray Luis de León», *BH*, 83, 1981, págs. 5-47.

España» [10]. Pi i Margall, traductor entre otras cosas de Proudhon, enfrenta al oscurantismo clerical la figura de Fray Luis ligada —según él— a la Reforma. No es casualidad que nuestro federalista también hubiera recibido los ataques de la Iglesia y varias de sus obras sufrieran censura y prohibición eclesiástica. Después, naturalmente, don Marcelino Menéndez y Pelayo soslayará en lo posible esta cuestión. Pero la figura de Fray Luis como víctima del canibalismo continuará viva hasta nuestro siglo.

Los poemas originales

Como ha señalado Alberto Blecua [11], la poesía de Fray Luis surge en un momento de consolidación de la poesía italianizante. A partir de 1550 nos encontramos con el triunfo definitivo del endecasílabo y especialmente entre 1550 y 1570 se produce la asimilación de temas, formas y géneros de esta poética. Indudablemente Fray Luis conoció, además de a Garcilaso, Boscán y Hurtado de Mendoza que dejan huella en sus versos, otros poetas italianizantes como el original Montemayor o Cetina. También debió conocer algo de poesía cancioneril. Por lo menos alguna resonancia de las *Coplas* de Jorge Manrique se trasluce lejanamente en sus versos. También conocería el romancero, con el que enlazan figuras míticas luisianas, como don Rodrigo, el Cid y quizá también el Gran Capitán. Paralelamente a la asimilación de la poesía italianizante sabemos que también se interesó por la poesía italiana: conocía sin duda a Petrarca, Giovanni della Casa, o Pietro Bembo a los

---

[10] P. XVII; el volumen 37 aparece sin el nombre del colector. Tomo la identificación de Macrí (pág. 178). Sobre la actitud de Pi i Margall ante la Reforma véase el «Discurso preliminar» a las *Obras de Padre Juan de Mariana (BAE,*30). Allí resalta también la incidencia de la Reforma en «los hombres de inteligencia» de España y llega a decir: «Se pide a voz en grito la reforma de la Iglesia y la Iglesia debe sin duda reformarse ¡Ojalá! lo hubiese hecho al sentir el primer soplo del huracán sobre su frente!» (pág. IX).

[11] A. Blecua, «El entorno poético de Fray Luis» en V. García de la Concha, ed., *Academia Literaria Renacentista. I Fray Luis de León,* Salamanca, 1981, págs. 83 y ss.

.que parafrasea y traduce. No parece conocer, en cambio, poesía francesa coetánea, y, sin embargo, su poesía es más cercana, en su temática por lo menos, a poetas como Du Bellay que a Bembo.

Su poesía se desgaja básicamente de la tradición hispana anterior para lograr un tipo de verso nuevo y distinto. Su objetivo es crear una poesía que pudiera parangonarse con la gran poesía moral romana y también con sus equivalentes en la poesía humanística. De esto hablaremos después. En ese sentido selecciona un libro de composiciones centrado en dos temáticas: un amplio grupo de poemas sobre temas morales (odas I a XVII y XXII-XXIII) y un pequeño grupo de odas de temática cristiana (XVIII a XXI). Una y otra se complementan en torno al concepto de armonía y concierto [12]: la búsqueda de una paz interior que sea reflejo y contrapunto de la paz que nos ofrece el pastor del Salmo 22. Este tema central del *concierto* se formula a través de un entramado de conceptos estoicos y epicúreos principalmente sobre los que se superponen imágenes bíblicas.

Es difícil hacer una clasificación, pues todos los temas están entrelazados. Pero simplificando y por razones didácticas se podría organizar del siguiente modo:

I. La virtud y el rechazo de los bienes externos (pasiones y afectos).

a) La búsqueda de la virtud, o sea de la filosofía que lleva al conocimiento de sí mismo: II «Virtud hija del cielo» y XI «Recoge ya en el seno» (exhortación al *otium* y a los estudios nobles propios del sabio).

b) La virtud del alma frente a los bienes externos (el linaje): IV «Inspira nuevo canto».

c) Rasgos del varón justo, el ánimo constante: XV «No siempre es poderosa».

d) Las pasiones (el avaro y el tirano): V «En vano el mar fatiga», XII «¿Qué vale cuanto vee,» y XVI «Aunque en ricos montones».

---

[12] C. Cuevas, *Fray Luis de León y la Escuela Salmantina*, Madrid, 1982, pág. 34.

e) Las pasiones (la pasión amorosa): VII «Folgaba el rey Rodrigo», IX «No te engañe».

f) Las pasiones (la esperanza): XVII «Huid, contentos, de mi triste pecho;»

II. Los caminos de la virtud y de la armonía.

a) Elogios del *otium:* I «Qué descansada vida», XIII «Alma región luciente» (en la que el *otium* cristianizado es también la vida del cielo en nuestra alma), XIV «¡Oh ya seguro puerto!» y XXIII «Aquí la envidia y mentira».

b) El *otium* opuesto a la guerra: XXII «La cana y alta cumbre»

c) La música como búsqueda de armonía: III «El aire se serena»

d) La contemplación y conocimiento de la naturaleza como camino a la filosofía y a la virtud: VIII «Cuando contemplo el cielo» y X «¿Cuándo será que pueda»

Los temas están íntimamente relacionados, y, por ejemplo, la oda I sobre el *otium* o apartamiento trata también casi todos los otros temas; lo mismo podríamos decir de la XI o de la XXII. Es una técnica poética similar a la de Horacio (cfr. *infra,* págs. 39-40).

Tratamiento aparte merecen las cuatro odas religiosas (XVIII a XXI). No es casualidad que aparezcan seguidas en la edición de Quevedo. Son odas relacionadas con el *Evangelio* o con fiestas y tradiciones de la Iglesia. Aunque son poemas fundamentalmente religiosos, algunos de sus temas se relacionan también con las odas morales. Así, el «Pastor santo» de XVIII nos remite al «buen Pastor» de la oda XIII; los santos y la «gloriosa virtud» de la oda XIX enlaza con las odas morales a la virtud. El estoico diviniza a cualquier hombre que alcance una perfección en su virtud, y el cristiano Fray Luis puede enlazar sin demasiados escrúpulos con esa tradición. Es una vieja simbiosis que no inventa Fray Luis y a la que puede adherirse fácilmente. La larga oda XX se relaciona con la VII, sobre la invasión árabe, y con la XXII, sobre la guerra de las Alpujarrras, aunque los respectivos temas centrales sean distintos. La preciosa oda XXI trata un tema moral recurrente: el encierro del hombre en la cárcel del cuerpo y la aspiración a alcanzar la virtud bajo la protección de la Virgen, aunque también puede referirse a su propia cárcel inquisitorial en Valladolid.

En la encrucijada de latín y romance

Como en ninguna otra época, en el Renacimiento la poética es única e indivisible. Por esa unidad, los humanistas pueden confrontar y hacer competir a Virgilio con Homero y Píndaro. Y en esa unidad se apoya también la poesía romance. Los núcleos humanísticos son lugares privilegiados en los que la unidad teórica se prolonga y recibe su realización en formas diversas. Una de esas formas es la traducción del griego al latín. Es un ejercicio escolar y literario a través del cual, los humanistas pueden competir[13] en la comprensión de la *Antología Planudea,* por ejemplo, como hacen Tomás Moro y Guillermo Lily en sus *Epigrammata*[14]. En las colecciones de epigramas neolatinos raras veces falta una muestra de este ejercicio de traducción *e graeco.* Y ligados a esa práctica hay que colocar también los ejercicios de traducción del romance al latín, con las traducción de Ausias March por Alvar Gómez de Castro[15], o de Jorge Manrique por Diego Hurtado de Mendoza[16]; y ligado a esto está también la traducción de latín al romance, como las competencias del Brocense, Espinosa y Fray Luis[17], y también la labor luisiana pionera, como ha mostrado Alberto Blecua, en la traducción de odas horacianas[18].

---

[13] Especialmente en las *variae interpretationes,* cfr. J. Hutton, *The Greek Anthology in France,* Ithaca, 1946, pág. 29 y ss.

[14] T. Moro, *Opera Omnia,* Lovaina, 1566, f.19.

[15] Cfr. A. Alvar Ezquerra, *Acercamiento a la poesía de Alvar Gómez de Castro (Ensayo de una biografía y edición de su poesía latina),* II, Madrid, 1980, págs. 402 y 667 (núm. CCCXIV).

[16] D. Alonso, *Dos españoles del Siglo de Oro,* Madrid, 1960, páginas 66-68.

[17] Cfr. Francisco de la Torre, *Poesía completa,* ed. M. L. Cerrón Puga, Madrid, 1984, pág. 189 y ss.

[18] A. Blecua, «El entorno», pág. 88 y ss.

Una muestra diáfana de este cruce de lenguas lo dan las justas poéticas típicamente humanísticas, en las que se proponen diversos certámenes en latín, a veces en griego, y también en romance «quoniam hispanica Musa lepore, salibus, festivitate, argutiis, cum graia latinaque contendere nonnunquam potest», como dice Alvar Gómez de Castro en una de las justas [19]. En esa línea y en ese ambiente hay que colocar la labor poética de Fray Luis: él mismo participó en justas poéticas y formó parte del jurado de la justa con que se celebró la victoria de Lepanto, junto con el músico Francisco Salinas [20]. A su vez, buena parte de los hombres que se relacionan con él se interesan y practican este tipo de producción humanística: el maestro Salinas, el secretario Grial, Felipe Ruiz, el rector Almeida, Miguel Tormón, el Brocense, escriben poesía en latín o en romance, o en ambas lenguas. El Brocense es el poeta más prolífico en latín, de la misma manera que Fray Luis es el más abundante en romance. Pero en conjunto es poco lo que escriben, y menos lo que publican. El Brocense sólo edita poemas como preliminares o epílogos de sus diversas obras retóricas o gramaticales, y quizá lo más copioso sea una pequeña colección de epitafios al final del *Organum dialecticum et rhetoricum* (Salamanca, 1588), puesta allí, sin duda, para rellenar unos folios vacíos del cuadernillo. Fray Luis, por su parte, sólo edita una serie de traducciones y un par de poemas latinos en obras más ambiciosas. La poesía es una actividad secundaria y privada para ellos.

Por otra parte, la actividad poética es una forma de conocimiento para un humanista, lo mismo que lo puede ser un comentario filológico a Ovidio o a los *Salmos*. La visión fragmentada del mundo actual, la profunda división del trabajo, la especialización que inventa la originalidad y el genio poético resultan una barrera difícil de saltar para entender la actividad literaria en torno al Brocense y Fray Luis. El maestro Miguel Tormón es para nosotros un teó-

---

[19] *Publica laetitia qua dominus Martinus Silicaeus...ab Schola Complutensi susceptus est*, Alcalá, 1546, pág. 7.
[20] Cfr. A. Blecua, *ibíd.*, págs. 86-87.

logo, pero para el Brocense, en el precioso epitafio que le dedica al final del *Organum dialecticum*[21], Tormón es también, además de escriturario, *orator* y *poeta:* «Quae <poterat> vates, quem laudent Pandionis arces, / Mincius et doctis ornet arundinibus,». Lo mismo pasa con el teólogo León de Castro a quien el Brocense dedica varias composiciones (y no a Fray Luis, como se ha dicho). Según Sánchez: «Hic (merito dicas) superavit Prothea, seu cum / liber sermonem protulit ore pede; / carmine seu tragico contexat digna cothurno; / pectore sive sacro Musa Pelasga sonet; / illius aut narret praesens facundia quicquid / magnus Aristoteles disserit atque Plato»[22]. En realidad, la poesía forma parte indisoluble y prolongación de sus trabajos de filosofía moral, filología bíblica o teología. El comentario, la *interpretatio auctorum* a la que se dedican todos desde Grial hasta Fray Luis, es la labor fundamental, como nos dice Sánchez en el *De autoribus interpretandis, sive de exercitatione praecepta:* «Maioris esse sempere credidi diligentiae aliena scripta retexere, quam nova proprio Marte componere[23].» Pero son dos actividades entrelazadas y complementarias: los epitafios del Brocense complementan las formas de la *laudatio* del *Organum,* las traducciones de Virgilio de Fray Luis complementan en otro nivel las palabras sagradas del *Libro de Job.*

Inevitablemente, la poesía de Fray Luis hay que entenderla, lo mismo que la de Herrera, enfrentada a la de Garcilaso y en contraste con esa poesía. Garcilaso y el italianismo petrarquista han abierto un camino en la construcción de una poesía culta en castellano. Sin embargo Fray

---

[21] Se encuentra también en el manuscrito *Fuentelsol*, según Menéndez y Pelayo, Fray Luis de León, *Poesías*, Madrid, 1928, pág. 213.

[22] Cfr. la ed. de Raimundo Miguel en J. Gómez de la Cortina, Marqués de Morante, *Catalogus librorum qui in aedibus suis extant*, V, Madrid, 1859, pág. 840. Pienso que la referencia a la «Musa Pelasga» y los comentarios a Platón y Aristóteles casan con León de Castro que fue profesor de griego y del que Sánchez se presenta como discípulo en el comentario a las *Sylvae* de Policiano (cfr. E. Asensio, «El ramismo y la crítica textual en el círculo de Luis de León» en V. G. de la Concha, ed., *Academia Literaria Renacentista*, págs. 49-50.

[23] *Opera Omnia*, II, Ginebra, 1766, pág. 75.

Luis no sigue en esa línea. Esto se hace patente incluso en la forma: églogas no escribe ninguna, y el soneto queda como relegado (sólo cinco) en el conjunto de su producción. Fray Luis parece volver atrás y empezar desde cero con puros ejercicios de traducción. Estas traducciones tienen por objeto el transformar el castellano y prepararlo para unos contenidos más complejos que los que ofrecen las églogas y sonetos de Garcilaso. En este punto, Fray Luis escoge dos líneas: la de los mejores clásicos (Horacio y Virgilio), y la de la gran poesía bíblica (los *Salmos*). Sin duda lo que apreciaría más serían sus traducciones de los Salmos que llevan incluso un prólogo como introducción al tercer libro de sus poesías. Tras los pasos de Mal Lara[24], Fray Luis pone el castellano a la altura de lo que se está intentando en latín desde el segundo tercio del siglo XVI: a la altura de las paráfrasis y traducciones de salmos de M. A. Flaminio, de Buchanan o de Arias Montano. Como estos poetas neolatinos, Fray Luis transforma el estilo bíblico y lo adapta y recubre con el estilo clasicista que ha forjado en sus traducciones de Horacio y Virgilio. Lo mismo que en las traducciones de los Salmos de Arias Montano, en Fray Luis, la poesía bíblica, para hacerse comprensible, se tiene que recubrir de horacianismo. Como tercer punto de referencia se coloca la poesía original que es fruto maduro y contrapunto de la traducción, y se presenta como una búsqueda de un nuevo tipo de poesía. Garcilaso enlaza con unas líneas muy claras de poesía petrarquista italiana. Su originalidad se cifra en su gran capacidad de adaptar esa forma al castellano. Pero Fray Luis no quiere seguir en esa línea (y no porque hiciese ascos a la temática amorosa, pues ahí están los cinco sonetos, y ¿qué hay más erótico que su traducción del *Cantar de los Cantares?*). Implícitamente, en la poesía luisiana hay una crítica a la poesía de Herrera que sí sigue las pautas garcilasianas, y también una crítica

---

[24] No es casualidad que Mal Lara, el predecesor más directo de Fray Luis en la traducción de salmos, tuviese presente también las paráfrasis bíblicas de M. A. Flaminio, como ha señalado A. Blecua en «El entorno», págs. 90-91.

de la actitud «ciceroniana» de sus *Anotaciones*[25]. Fray Luis busca algo nuevo y, para ello, da un salto cualitativo importante. Intenta hacer con el castellano lo mismo que hacen los humanistas con su poesía en latín: imitar directamente a los clásicos y formar una colección poética equivalente a la que podría hacer un humanista. Y de la misma manera que en sus traducciones busca un isomorfismo respecto al latín —no es casualidad que el Brocense las elogie «por ser [...] muy conforme al latino»—[26], de la misma manera en su poesía original esa misma búsqueda de equivalencia formal le lleva a coincidir con los procedimientos y también en muchos casos con los géneros y contenidos de la poesía neolatina. Esto lo han señalado explícita o implícitamente otros investigadores, pero creo que vale la pena profundizar un poco en ello.

De la poesía renacentista en latín

La creación de una lengua poética culta se hace en el Renacimiento de la mano de las corrientes humanísticas. Es ésta una idea banal, pero creo que no se ha deducido de ella todo lo que implica. Generalmente, se practica una simplificación: el humanismo recupera a los autores de la antigüedad y, en consecuencia, las lenguas vernáculas se fijan y desarrollan tomando como modelo o como punto de referencia a esos autores clásicos. Pero eso no es exacto. El proceso fue distinto. Los humanistas no «recuperaron» la Antigüedad Clásica, ni siquiera creo que la *Altertumswissenschaft* del siglo XIX lo haya logrado hacer. Los humanistas lo que hicieron fue practicar una lectura peculiar de los textos clásicos y dar una interpretación, generando a

[25] Véase mi «Herrera y Pontano: la métrica en las Anotaciones» *NRFH*, 32, 1983, págs. 352-353.

[26] Cfr. A. Blecua, «El entorno», págs. 91-92; sobre la traducción renacentista cfr. Glyn P. Norton, *«Fidus interpres:* a philological contribution to the philosophy of traslation in Renaissance France», en G. Castor-T. Cave, *Neolatin and the Vernacular in Renaissance France,* Oxford, 1984, págs. 227-251.

partir de ellos una nueva cultura. En consecuencia, y simplificando inevitablemente, las literaturas vernáculas no tuvieron como punto de referencia a los autores de la Antigüedad (aunque el Brocense diga que «no es buen poeta el que no imita a los antiguos»), sino la cultura humanística que es algo distinto y más complejo puesto que es más real.

En el nivel de estilo poético, el humanista toma una serie de textos más o menos clásicos, que pueden ir desde Enio o Catulo hasta Sidonio Apolinar, y les aplica sus propios esquemas retóricos y gramaticales de *enarratio auctorum*. A la hora de expresarse y escribir nuevas composiciones, los autores clásicos se adaptan y funden en los nuevos géneros poéticos que el humanista fija, y forman la base del discurso poético humanístico. Es de ese discurso de donde parte la poesía vernácula, y es lo que explica y enmarca la mayoría de sus géneros desde la épica hasta las silvas, epitafios y emblemas. También en el campo de la estructuración del poema, las prácticas humanísticas pasan al campo de la producción en vernáculo. Y también pasa lo mismo en el terreno de lo que entonces se llamaba la imitación. Esa imitación puede ser muy variada y obedecer a muchos objetos y esconder matices muy diversos[27]. El mecanismo de la imitación no se basa, como se ha dicho muchas veces, en la relación entre un remoto pasado, la Antigüedad, y un presente separado histórica y culturalmente de esa Antigüedad. El mundo clásico, o la interpretación que se da de él, forma parte del presente renacentista, es su propia carne. La conciencia del corte histórico entre los autores clásicos y el presente es uno de los descubrimientos del hombre del Renacimiento. Pero esa conciencia histórica no es del mismo tipo que la que podemos tener hoy. Un humanista intenta subsanar ese corte, intenta enlazar y hacer propia esa Antigüedad y fundirla con su propio pre-

---

[27] Sobre la imitación neolatina véase el prólogo de F. J. Nichols a su *Anthology of Neolatin Poetry*, New Haven-Londres, 1979, págs. 16 y ss.; un intento de clasificación de los distintos tipos de imitación en latín y romance puede encontrarse en Th. M. Greene, *The Light in Troy. Imitation and Discovery in Renaissance Poetry*, New Haven-Londres, 1982, págs. 38 y ss.

sente. Y esto es importante para entender el mecanismo de la imitación. El proceso no es el de relacionar un corpus de textos remotos con una literatura tajantemente distinta, sino que el proceso intertextual se da entre dos partes de una misma cultura[28]. No es, como sugiere en una de sus metáforas M. W. Ferguson, una relación paterno filial, sino una relación fraterna, de dos partes de lo mismo pero de distinto desarrollo. Dicho de otra manera, Horacio o Virgilio no están más alejados de Fray Luis que Policiano, Flaminio o Erasmo. Se puede hacer una distinción retórica, estilística (de ahí las disputas sobre el ciceronianismo), pero no hay una separación histórica tal como nosotros la entendemos. Así, Fray Luis puede expresarse con *iuncturae* de Horacio en el *Exvoto* como en la prosa del *Panegyricus Divo Augustino,* pero son *iuncturae* que forman parte de su propio pensamiento, de su forma de escribir latín. No quiero decir que su uso fuera inconsciente, sino que formaban parte de su lenguaje y de su pensamiento de una forma distinta de la que formaban parte los recuerdos de versos castellanos de Manrique o Garcilaso. A diferencia de la lengua materna, el latín se asimila justamente a través de textos y se generan nuevos textos a partir de los primeros. Recordar pasajes y expresiones es indispensable y de ahí la importancia de la imitación.

Por otra parte, la imitación puede ser genérica, remitiendo a un tópico en el que se funden varios textos. Este sincretismo se da de una forma natural en prosa y poesía neolatina. Es un procedimiento espontáneo reforzado por la difusión del *De copia* de Erasmo y otros libros de lugares comunes que ofrecen materiales para una elegante variación estilística[29].

---

[28] Por ejemplo en el ingenioso libro de M. W. Ferguson, *Trials of Desire. Renaissance Defenses of Poetry,* New Haven-Londres, 1983.

[29] Cfr. T. Cave, *The Cornucopian Text. Problems of Writing in the French Renaissance,* Oxford, 1979, págs. 35 y ss.

a) Los poemas titulados «Imitaciones» de Fray Luis

La imitación neolatina puede ser un juego, un alarde formal y un intento de competir con los antiguos. Por ejemplo Jaime Juan Falcó reescribe una sátira horaciana, pero en una forma mucho más compleja, haciendo que cada verso empiece y acabe con un monosílabo[30]: «Imitatio Satyrae primae Horatii 'Qui fit Mecoenas' (I, 1), ad aemulationem composita singulis versibus per monosyllaba incipientibus et monosyllaba desinentibus». Falcó recrea libremente los conceptos horacianos adaptándolos a este antiguo juego de los *Technopaegnia* de Ausonio.

Otra de las formas menos originales de imitación en la poesía neolatina es reproducir todo un poema casi literalmente aplicándolo a otro objeto. Por ejemplo lo que hace Hernán Ruiz de Villegas en «Ad Mariannam» ('O crudelis adhuc, Venerisque superba potentis'[31]) donde parafrasea a Horacio (IV,10 y IV,13) y en «Ad Mariannam, de vitae brevitate» ('Labitur hora fugax, aetasque volatilis, eheu!'[32]), también paráfrasis de Horacio (II,14). Tomemos como ejemplo el primer texto de Ruiz de Villegas:

O crudelis adhuc, Venerisque superba potentis
    Muneribus, miserum cur, Marianna, necas?
Insperata tuis veniet sed fastibus aetas,
    Quaeque humeris volitant, auferet hora comas.
Puniceaque rosa qui nunc prior est color, ora   5
    Pallida mutatus deseret atque genas;
Vertet et in faciem Mariannae membra pudendam,
    Quaeque puella modo est, postmodo fiet anus.
Tunc quoties speculo deformia videris ora,
    Fernandique tui forte eris ante memor;   10
Quae mihi nunc (dices) mens est, cur ante puellae
    Non fuit? His animis incolumesve genae?

---

[30] *Operum poeticorum libri V*, Barcelona, 1624, ff. 71-73.
[31] *Opera*, Venecia, 1734, pág. 233.
[32] *Ibíd.*, pág. 237.

Poema calcado sobre Horacio IV,10:

O crudelis adhuc et Veneris muneribus potens,
insperata tuae cum ueniet pluma superbiae
et, quae nunc umeris inuolitant, deciderint comae,
nunc et qui color est puniceae flore prior rosae
mutatus Ligurinum in faciem uerterit hispidam,   5
dices, heu, quotiens te speculo uideris alterum:
«Quae mens est hodie, cur eadem non puero fuit,
uel cur his animis incolumes non redeunt genae?»

Villegas transforma al soberbio Ligurio en una hermosa petrarquista que da y quita la vida, y naturalmente le pone el nombre de su dama. También es nuevo todo el verso 10 en el que se introduce la figura del poeta. La oda horaciana se mantiene en su totalidad convertida en epigrama. Incluso varios de los cambios proceden también de Horacio, porque «tuis...fastibus» (3) viene de IV,13,15, y «fiet anus» (8) de IV,13,2. Pero el sentido global del poema se ha modificado.

Justamente esto es lo que hace Fray Luis en las «imitaciones» que edita Quevedo después de las traducciones. Así la «Imitación de la Oda IX de Horacio 'Non semper'» es la transformación de un texto horaciano en una canción amorosa heterosexual. Como Villegas, Fray Luis cambia los nombres de los personajes: el destinatario ya no es Valgius que llora la muerte de su amado Mystes, sino la joven Nise[33] que llora su separación de la madre. Pero sigue siendo una traducción literal de Horacio excepto en las tres últimas estrofas. Horacio en las dos últimas exhorta a cantar las victorias de Augusto, Fray Luis, en cambio, exhorta a Nise a cantar su relación amorosa:

Imitación de la Oda IX de Horacio
«Non semper»

No siempre descendiendo
la lluvia de las nubes baña el suelo;

---

[33] Parece tener una curiosa preferencia por ese nombre pues en varias traducciones de odas horacianas cambia los nombres de las damas romanas por ése, cfr. A. Coster, *Luis de León (1528-1591)*, II, Nueva York-París, 1921-22, pág. 216, que le supone un significado alegórico.

ni siempre está cubriendo
la tierra el torpe yelo,
ni está la mar salada   5
siempre con tempestades alterada,
   Ni en la áspera montaña
los vientos de continuo haciendo guerra
executan su saña;
ni siempre en la alta sierra,   10
desnuda la arboleda,
sin hoja, Nise, y sin verdor se queda.
   Mas tú continamente
insistes en llorar a tu robada
madre, con voz doliente;   15
y ni la luz dorada
del sol, cuando amanece,
mitiga tu dolor, ni si anochece.
   Pues no lloró al querido
Antíloco sin fin el padre anciano,   20
que tres edades vido;
ni siempre en el troyano
suelo fué lamentado
el príncipe Troilo, en flor cortado.
   Da fin a tus querellas,   25
y, vuelta al dulce canto que solías,
o canta mis centellas,
o tus duras porfías,
que convierten en ríos
los siempre lagrimosos ojos míos.   30
   Di cómo me robaste
de en medio el tierno pecho, el alma y vida;
di cómo me dejaste,
nunca de mí ofendida,
y cómo tu de ingrata   35
te precias, y de amar yo a quien me mata.
   Y cómo, aunque fallece
en mí ya la esperanza y alegría.
la fe viviendo crece
más firme cada día;   40
y siendo el agraviado,
perdón ante tus pies pido humillado.

Y el texto original de Horacio (*Od.* II, 9) reza:

> Non semper imbres nubibus hispidos
> manant in agros aut mare Caspium
>   uexant inaequales procellae
>   usque, nec Armeniis in oris,
>
> amice Valgi, stat glacies iners   5
> mensis per omnis aut Aquilonibus
>   querqueta Gargani laborant
>   et foliis uiduantur orni?
>
> tu semper urges flebilibus modis
> Mysten ademptum, nec tibi Vespero   10
>   surgente decedunt amores
>   nec rapidum fugiente solem.
>
> At non ter aeuo functus amabilem
> plorauit omnis Antilochum senex
>   annos nec inpubem parentes   15
>   Troilon aut Phrygiae sorores
>
> fleuere semper. Desine mollium
> tandem querellarum et potius noua
>   cantemus Augusti tropaea
>   Caesaris et rigidum Niphaten   20
>
> Medumque flumen gentibus additum
> uictis minores uoluere uertices
>   intraque praescriptum Gelonos
>   exiguis equitare campis.

La enseñanza renacentista distinguía una serie de gradaciones en la forma de traducir: *traslatio, parapharasis, imitatio* y *allusio*[34]. Aquí, evidentemente, Fray Luis lo mismo que Villegas están practicando un ejercicio retórico dentro de esa tradición escolar.

---

[34] Cfr. J. Hutton, *The Greek Anthology in France,* Ithaca, 1946, página 29 y ss.

b) Otras formas de imitación

Pero lo habitual es que un poeta latino no reproduzca o traslade directamente un material clásico, sino que ese material funciona como un segundo código que matiza y transforma el de la lengua base. Esto se deriva del concepto que tiene el humanista de la relación entre arte y realidad. Son ideas básicas de teoría literaria humanística, como se pueden encontrar en Pontano o Escalígero. La realidad o naturaleza es un primer nivel sobre el que se superpone una segunda naturaleza que es la que nos presentan los mejores escritores. Y esta segunda naturaleza literaria es generalmente mejor y más perfecta que la del primer nivel de realidad[35]. Así, imitar a un autor clásico para un humanista no es simplemente engalanar un poema con cuatro sagradas citas de la Antigüedad, sino que es un modo de ver el mundo y comprenderlo a través de unas formas privilegiadas.

Así, por ejemplo, Juan de Vilches dedica una oda a Antequera, «Ad eundem de Antiquaria patria sua»[36], pero la construye sobre un famoso esquema horaciano, el elogio de la vida pacífica en Tibur (I,7: «Laudabunt alii claram Rhodon aut Mytilenen») preferible a los viajes a muchas claras ciudades del Mediterráneo. Antequera se carga gracias a esta imitación de una serie de connotaciones: se hace equivalente a una ciudad de la Antigüedad, el pasado se hace presente a través de la forma. Al mismo tiempo Antequera se convierte, al igual que el Tibur de Horacio, en un lugar ideal para el varón justo que busca la paz.

Casos similares aparecen en las odas de Arias Montano de los *Monumenta humanae salutis.* (Amberes, 1571). Por ejemplo, la costumbre de empezar una oda con la misma palabra inicial de otra oda horaciana: como la LVIII «In tabulam Christi ad Herodem missi»: 'Iustum et suorum fraudibus' (cfr. Hor, III,3 'Iustum et tenacem'); o la LXV: 'Iam novo felix nitet orbis ortu' (Hor. I,2 'Iam satis terris ni-

[35] Cfr. G. Ferraù, *Pontano Critico,* Messina, 1983, págs. 43-44.
[36] *Bernardina,* Sevilla, 1544, ff. 97v-98.

vis'); o la III: 'Eheu laborum pondera maxima' (Hor. II,14 'Eheu fugaces, Postume'); o la VI: 'Quem tu diva fides virum' (Hor. IV,3 'Quem tu, Melpomene, semel'). A veces la oda horaciana se transpone en sus estructuras rítmicas fundamentales en la oda de Montano. Por ejemplo en la última citada: elementos rítmicos de la oda del venusino pasan a la del hispano.

Quem tu diva fides virum
Viventem solido pectore finxer*is*
Vulgo et sepositum levi,
Arcani imbueris muneribus tui;
Illum non labor improbus

...

Ostentet regio metum

...

O virtutibus integris
Dux certa et superum viribus aemula
O quae corpore languidis

La estructura de Montano se basa en el siguiente esquema de Horacio (*Od.* IV, 3):

Quem tu, Melpomene, semel
Nascentem placido lumin*e* vid*eris*
Illum non labor Isthmius

...

Quod regum tumidas contuderit minas,
Ostendet Capitolio

...

O testudinis aureae
*Dul*cem quae strepitum, Pieri, temperas,
O mutis quoque piscibus

Son puntos de apoyo que marcan la similitud de contenidos. La Musa de la poesía, Melpomene, se convierte en la fe en Dios. Para Horacio, el varón que ha sido mirado por la musa poética no se apartará de esa profesión, de la misma manera para Montano el varón que forma la fe no se aparta de su camino como Abraham. Aparentemente es una cuestión puramente formal. Parece como si Montano sólo hubiera vaciado una forma horaciana y la hubiera recubierto de un contenido cristiano. Desde luego es eso, pero es algo más, la forma horaciana trae consigo una moral e inevitablemente el varón formado por la divina fe es el sabio estoico, el que desprecia la opinión del vulgo, al que ni las fieras, ni el frío lo apartan de su conciencia. No es sólo una imitación de formas y ritmos vacíos, sino que las formas llevan como pegadas unos contenidos.

Por otra parte, la poesía neolatina tiene una larga tradición de trasvase de contenidos e ideas paganas en composiciones de moral cristiana. A veces es todo un mito que se superpone a un tema sacro, como por ejemplo el famoso *De partu Virginis* de Sannazaro. El napolitano transpone, dentro de una cierta inclinación neoplatónica, el esquema del *De raptu Proserpinae* de Claudiano, repleto de significados naturalistas, adecuándolo al tema sacro de la anunciación y parto de la Virgen. Es la interpretación religiosa de un tema pagano que ofrece también una forma exquisita con que se conjuga: la situación del mundo antes de la donación del trigo es equivalente a la situación del hombre antes de la redención; las bodas del dios Plutón con la delicada Proserpina se transforman en las bodas de Dios y la Virgen; las promesas y seguridades con que conforta Plutón a Proserpina son calcadas en las del Ángel a María, etc.[37].

Lo mismo podríamos decir del *De divinis laudibus* de Pontano, libro que se leyó mucho en España e incluso tenemos una edición barcelonesa (1498). Pues los himnos que forman la obrita de Pontano son himnos de tonos clásicos como lo son el pequeño grupo de poemas religiosos de Fray Luis. Así, por ejemplo, la pobreza franciscana y la figura del santo sufren una transformación en manos de Pontano para convertirse en un 'varón íntegro' y estoico

---

[37] F. Tateo, *Tradizione e realtà nell'Umanesimo italiano*, Bari, 1967, págs. 94-109.

que desprecia las riquezas: «non auro splendente domus gemmisque superba, / nec quae puniceo lana colore rubet»; o en el himno a san Benito se invoca al monje con el léxico amoroso del pastor Corydon (*Egl.* II,45): «Huc ades, o Benedicte, menos neu despice cantus, / Huc ades Orphea dive canenda lyra.»

Garcilaso había intentado aplicar al castellano formas de imitación semejantes, pero nunca con el rigor y la amplitud con que lo hace Fray Luis. Para ello, el poeta de Belmonte ha tenido que encontrar una forma estrófica nueva (el soneto ya no era un molde adecuado): la lira, tomada de Garcilaso y Bernardo Tasso, que utiliza en la mayor parte de sus poemas. A partir de ese molde flexible se pueden reproducir en castellano los logros formales y de pensamiento de la poesía clásica con procesos de transposición semejantes a los de la poesía humanística. Así, encontramos, lo mismo que en Arias Montano, cierto gusto porque el primer verso recuerde algún inicio horaciano[38]. También encontramos la asimilación de unos escuetos apoyos rítmicos que se transfieren a un contexto distinto. Esto puede darse en imitaciones aisladas dentro de una oda, como por ejemplo en VIII,66-72, donde nos encontramos con la descripción de la vida de los bienaventurados. Para ello, Fray Luis piensa en un tópico de Boecio (*De cons.*, III, metro 10,4-6) que justamente aparece bajo la rúbrica «De beatitudine» en la antología de citas poéticas de Octavianus Mirandula, *Illustrium Poetarum Flores* (Lyon, 1582, pág. 122) donde reza:

> *Hic* vobis requies erit laborum,
> *Hic* portus placida manens quiete,
> *Hic* unum miseris patens asylum

En Fray Luis VIII, 66-72 se convierte en:

> *Aquí* vive el contento
> *Aquí* reina la paz; *aquí*, asentado...
> *aquí* se muestra toda, y resplandece

---

[38] Cfr. las notas a XIII,1; XV,1; XVIII,1; XIX,1; XXII,1.

Fray Luis ha tomado únicamente la andadura rítmica transfiriéndola a unos conceptos diferentes. Pero también con los puntos de apoyo rítmicos pasan ideas boecianas. Para Boecio, como para Fray Luis en la oda citada «Dios y la verdadera bienaventuranza son uno y lo mismo» *(De cons.* III,10,68), y la búsqueda de la virtud coincide con la búsqueda de la divinidad filosófica o cristiana respectivamente.

Pero otras veces Fray Luis lo que toma es toda una oda horaciana de la que se transpone la estructura retórica y rítmica como hace Arias Montano en el «quem tu diva fides» citado, y traslada el material mítico de la oda a las figuras cristianas equivalentes. Esto lo hace en la famosa oda VII, «Profecía del Tajo», construida sobre la Profecía de Nereo de Horacio *(Od.* I,15), en la que aplica una sabia transposición de personajes del ciclo troyano a personajes de la historia de don Rodrigo y el hundimiento del reino godo. Los dioses y héroes antiguos adquieren una prolongación en la historia cristiana. Al mismo tiempo los héroes cristianos se revisten, gracias al sincretismo implícito, de una universalidad y de una serie de facetas morales nuevas. También aparece este procedimiento en la oda XIX, «A todos los Santos». Por una parte la estructura de interrogaciones retóricas de Horacio *(Od.* I,12) van jalonando el texto:

> *Quem* virum aut heroa lyra vel acri
> tibia sumis *celebrare,* Clio?
> *quem* deum? *cuius* recinet iocosa
>   nomen imago
> ...
>
> *Quid prius dicam* solitis parentis
> laudibus, *qui* res...
> *qui...*
> Proeliis audax, *neque te silebo*
> Liber...
> Romulum post hos prius *an* quietum
> Pompili regnum *memorem, an* superbos
> Tarquini Fasces, dubito, *an* Catonis
>   Nobile letum

Y se convierte en el siguiente esquema de Fray Luis:

> *Qué* santo o *qué gloriosa*
> virtud, *qué* deidad...
> oh Musa poderosa
> en la cristiana lira
> *diremos...*
> *¿Qué nombre* en estas breñas a porfía
> repetirá sonando
> la imagen de la voz
> Pues *¿quién diré primero*
> que el Alto..., *que...*
> *que...*
> Espíritu divino
> *no callaré* tu voz...
> *¿Diré* el rayo Africano?
> ¿diré...
> *o...*
> *o...*

Hay otros préstamos del texto horaciano pero es principalmente el entramado de partículas lo que se asimila. Es la memoria fónica de la retórica de un texto lo que se traslada al texto vernáculo.

Después, naturalmente, viene la adaptación de contenidos: Júpiter se hace equivalente a Cristo, Líber y su participación en la gigantomaquia se hacen corresponder a S. Miguel y su lucha contra los ángeles rebeldes, la Virgen se hace equivalente a Palas, los padres de la Iglesia se corresponden con los reyes y héroes de la Roma primitiva. Es el mismo procedimiento por el que Melpomene y el poeta se pueden convertir en la Fe y Abraham en Arias Montano, o Prosérpina se puede convertir en la Virgen en Sannazaro.

c) Copia e *imitación*

Por otra parte, la relación entre 'fuentes clásicas' y poesía renacentista no se da de forma mecánica. La imitación humanística, como ha señalado Cave, es también una variación y un sincretismo que se esconde tras el concepto de *copia* ('copia' y 'abundancia')[39]. Este sincretismo lo practica el mismo Fray Luis en su poesía latina, por ejemplo en el *Exvoto,* vv.5-7:

> teque pudor nudaque veritas,
> Et recti studium, et simplicitas potens,
> Et frangi indocilis mens bene conscia,

Parte de Horacio I,24,6-7: «Cui Pudor et Iustitiae soror / incorrupta Fides nudaque Veritas», pero esto se conjuga con una expresión boeciana *(De cons.* II,7,42): «bene sibi mens conscia» y otras bíblicas *(Ad Eph.* 6.5): «in simplicitate cordis» y *(Ps.* 24,21): «Innocentes et recti adhaeserunt». El texto es una fusión de varios materiales y una transformación de los mismos. No remite a un texto concreto, sino a una serie de tópicos: las virtudes del hombre justo de Horacio (I,24) y la del sabio libre de cadenas de Boecio (II,7,42 y los versos que siguen) y expresiones bíblicas como la *simplicitas* y los hombres *recti.*

Este sincretismo, como ya he dicho, es un procedimiento natural a la memoria de lengua latina. El Archipoeta en la Edad Media, por ejemplo, también la practica, pero en el Renacimiento viene reforzado por una disponibilidad de textos y adquiere unos significados estilísticos y conceptuales nuevos. En el ejemplo anterior de Fray Luis, se funden formalmente expresiones paganas y bíblicas, de la misma manera que a nivel de ideas se busca una armonía moral estoica y cristiana que redunde en la armonía del hombre.

Esta forma de imitación se encuentra por todas partes en la poesía castellana de Fray Luis. Véase, por ejemplo, el mismo material del *Exvoto,* 5-7 en las odas XVII,58-60: «lo justo le acompaña, y la luciente / verdad, la sencillez en pechos de oro, / la fee no colorada falsamente;» y XV,23-25: «ni la llaneza / ni la inocente vida / ni la fe sin error ni la pureza». El entramado central lo da, como es habitual, Horacio. El material bíblico se ha ampliado y des-

---

[39] Cfr. T. Cave, *The Cornucopian Text,* Oxford, 1979; véase también Th. M. Greene, *The Lihgt in Troy,* págs. 200 y ss.

glosado: la *simplicitas cordis* es en una versión casi literal «sencillez en pechos de oro», en el otro texto se convierte en «la llaneza» y se añade la *innocentia* del Salmo (25,1 y 24,21). Pero lo importante es el sincretismo de materiales con una función estilística nueva de enriquecer un concepto tradicional y remitir a varios mundos concertados en la mente y la lengua del poeta.

d) Los géneros

En cuanto a contenidos y géneros, el horacianismo de Fray Luis pasa también por los moldes neolatinos. Francisco Rico, para ilustrar la idea de que «Fray Luis es un poeta neolatino en romance», señaló la relación de la «Canción al nacimiento de la hija del Marqués de Alcañices» (IV) con el género neolatino del *Genethliacon,* y puso de relieve la coincidencia de los títulos de las odas luisianas con el uso neolatino de dirigir composiciones a amigos verdaderos o ficticios[40]. Lázaro Carreter enlazó la oda a Grial (XI) con el género de una *praelectio* breve en verso de Policiano[41]. A esto habría que añadir otros esquemas que coinciden con los de Fray Luis: las odas o epigramas «In amicum absentem» con las que enlaza la oda XXII «A Don Pedro Portocarrero», las invectivas «In anum» o contra la amiga envejecida que enlazan con la oda VI «De la Magdalena», los epigramas «In tyrannum» con los que enlaza la XVI «Contra un juez avaro», o los epigramas «In avaros» que enlazan con la oda V «De la avaricia»; la exhortación a la virtud, tan frecuente en la poesía neolatina, enlaza con la oda II «A Don Pedro Portocarrero»; la invitación al *otium* o apartamiento que aparece en M.A. Flami-

---

[40] «Tradición y contexto en la poesía de Fray Luis» en V. García de la Concha, *Academia Literaria Renacentista. I Fray Luis de León,* páginas 245-48.

[41] «Imitación compuesta y diseño retórico en la Oda a Juan de Grial», *ibid.,* págs. 193-224 (publicado anteriormente en el *Anuario de Estudios Filológicos,* 2, 1979, págs. 89-119).

nio y otros poetas neolatinos enlaza con la oda XIV «Al Apartamiento»[42].

Se podría argüir que así mismo son temas antiguos que podemos encontrar en Horacio, Ausonio o la *Antología Planudea*. Y evidentemente influyeron también, pero los esquemas y las formas de asimilarlos pasa por los modelos de la poesía humanística. Lo mismo que los contenidos morales centrales pasan por la adecuación a la que los somete el humanismo. Pues en realidad, la filosofía moral de Fray Luis en estas odas se basa en una serie de conceptos divulgadísimos en el Renacimiento desde los ejercicios iniciales de gramática, en los que se leían *Disticha* de sabor estoico como los de Miguel Verino, tantas veces editados en España desde fines del siglo XV, o los de Catón. Así, por ejemplo, un ejemplar claramente escolar de los *Disticha Catonis* (Selestadii, 1520) contiene, además del comentario de Erasmo, unos *Mimi Publiani*, la *Isocratis Paraenensis ad Demonicum* y para cerrar el *Enchiridion* de Epicteto traducido por Policiano. Naturalmente, el estoicismo divulgado por el *Enchiridion* se entiende como una doctrina complementaria al cristianismo: «porque es una doctrina sanctissima, y aunque en algunas partes, como gentil, no allega a la perfection de el Evangelio, a lo menos va bien cerca de ella» dice Alvar Gómez de Castro en su traducción inédita del manual (anterior a 1560[43]), y más cerca de Fray Luis, el Brocense, en su *Doctrina del estoico filosopho Epicteto,* lo considera «el libro mayor, y mejor, y más provechoso que quantos la antigüedad ha sacado al mundo en esta materia[44]». Podríamos decir que Fray Luis inicia unas formas y temas que después serán frecuentísimos en la poesía moral del Barroco. En esta línea es aleccionador ver la continuidad de algunos temas y géneros entre Fray Luis y Quevedo: la invectiva contra la vieja (cfr. Quevedo, *Poesía original,* ed. J. M. Blecua, núm. 762 (La vieja que, por lunares», o núm. 618 «En cuévanos, sin cejas y pestañas»), las

---

[42] Cfr. las introducciones a las correspondientes odas.
[43] Cfr. A. Alvar Ezquerra, *op. cit.,* I, 171.
[44] Cfr. K. Blüher, *Seneca in Spanien,* Berna-Munich, 1969, pág. 285.

críticas a la avaricia (cfr. núm. 805), «En aqueste enterramiento», o el núm. 54), el «beatus ille» (cfr. núm. 60, «Dichoso tú, que alegre en tu cabaña»); temas tradicionales que provienen de la poesía clásica, pero su difusión se da primero en la poesía neolatina, en la medida en que cronológicamente es ella la que primero intenta imitar las formas antiguas. Después aparecen en la poesía romance bajo los esquemas y formas de asimilación neolatinas. Quevedo no tiene un odio especial contra las viejas o contra los avaros, sino que trata unos temas tópicos frecuentísimos y manidos en poesía culta humanística y como tales tópicos pasan a la poesía romance y por eso parece que Quevedo tiene un especial gusto en ellos. En realidad, Quevedo lo que hace es reelaborar un material literario difundido. Incluso en algún caso se trata de tópicos exclusivamente neolatinos como el *genethliacon* burlesco con horóscopo, «Refiere su nacimiento y las propiedades que le comunicó» (número 696), con una forma similar a los modelos que ofrezco para la oda IV de Fray Luis, o tienen una forma renacentista de la que son testimonio los *hendecasyllabi* «de nummo» de Erasmo o la plegaria al poder del dinero de Bohuslaus Lobkowitz [44bis]. En relación a esto diría también que la admiración de Quevedo por Fray Luis no es únicamente «estilística», como se ha dicho. Hay también una relación temática y una confluencia en una misma tradición de poesía moral culta.

El horacianismo de Fray Luis

El horacianismo de Fray Luis empieza con las traducciones de una serie de odas y épodos anteriores a 1572. En ellas experimenta lo que después —o al mismo tiempo— será su poesía original; pues su poesía es también una selección de materiales horacianos relacionados con sus tra-

---

[44bis] Cfr. C. Reedijk, *The Poems of Desiderius Erasmus,* Leiden, 1956, págs. 217-218; sobre Lobkowitz cfr. G. Ellinger, *Geschichte der neulateinischen Literatur Deutschlands im sechzehnten Jahrhundert,* I, Berlín, 1929, pág. 413.

ducciones. Esto viene marcado por las odas del venusino que escoge para traducir. De entre las odas, Fray Luis selecciona justamente los poemas que enlazan con su poesía original: el tema de la avaricia y la áurea medianía (Hor. III, 16; II,18); el varón justo (I,22; II,10); el paso del tiempo y la llegada de la vejez (II,14); la vejez de la mujer (IV,13); el ocio santo (Epod. 2). En otros casos traduce simplemente por el gusto de experimentar: como el precioso canto amebeo con que vierte el *Donec gratus* (III,9).

Los procedimientos horacianos pasan y tiñen toda la poesía de Fray Luis. Pero esos procedimientos resultan especialmente visibles en las traducciones: la preocupación por reproducir el equilibrio de estrofas, por ejemplo el de 1,22, *sive...sive* con «Pone...Pone», anunciando las simetrías estróficas de sus propias odas. El gusto por conservar el corte brusco que sirve de contraste, por ejemplo en la misma traducción de I,22, anunciando también el corte brusco de sus odas estudiado por Dámaso Alonso. El lenguaje petrarquista de la oda IV «Al nacimiento de doña Tomasina» o de la VI «De la Magdalena» viene preparado por las traducciones como la versión del *paraclausíthyron* de III,10: la nieve de la puerta de la amada se convierte en «la nieve ya caída / del aire agudo en mármol convertida» (vv.9-10), que recuerda a Garcilaso, *C.*V,97: «en duro mármol vuelta y transformada»; la comparación *Penelopen difficilem procris* (v.11) se transforma en «a ser como Penélope inhumana» (cfr. Garcilaso *Egl.*II,386: «¿Quién es contra su ser tan inhumano?»).

A otro nivel hay que señalar también como de origen horaciano el gusto por la aparente falta de unidad y el entrecruzado de temas. Véase por ejemplo la oda XXII sobre el tema de la *concordia discors,* la guerra frente al ocio. Las ideas se entrecruzan unas con otras hasta el punto que el tema central queda oscurecido. Es lo mismo que señala, referido a Horacio, el Brocense en su *De autoribus interpretandis*[45] atacando los títulos habituales de las odas del ve-

---

[45] *Opera,* II,76; Asensio subraya el origen ramista de la terminología del Brocense en este pasaje, «Ramismo y crítica textual», págs. 61-62.

nusino: «Prima igitur Oda pro titulo habet: *Varia esse hominum ingenia variasque fortunas* (III,1; justamente ése es el título que aparece en la edición de H. Glareanus, Basilea, 1543). Quid hoc est, aut ubinam id canit Horatius? Longe alia Horatii mens est. Hac enim Ode docet tutiorem esse vitam illorum qui parvo contenti vivunt, quam divitum et regum, quandoquidem omnibus moriendum est; neque amplae opes et divitiae possint aut curas levare, aut somnum reducere. Haec tamen omnia vita tenuis praestat. Haec igitur est exoptanda... Quare inspicienda methodus est, in qua semper Horatius fallit auditorem, ut nisi Lynceis contemplere oculis, credas illum centum proposita in satyra una urgere: cum simplex et unum sit, quo unaquaeque satyra vel epistola contineat.»

A ese efecto ayuda la continuidad sin ruptura de los temas en las odas luisianas. Véase por ejemplo XXII,22-26:

> nos colmas de divinos
> gozos con tu presencia,
> y de cuidado tristes con tu ausencia;
> porque te ha salteado
> en medio de la paz la cruda guerra

El paso del tema de la ausencia al de la guerra es casi imperceptible. Los cuidados de la ausencia nos llevan sin ruptura a los cuidados de la guerra.

También horaciano (aunque se encuentre en otros autores clásicos) es el gusto por la simbología de la naturaleza. Wilkinson[46] la ejemplifica bien en I,9 de Horacio y sus escenas sueltas de naturaleza como símbolo de la vejez, la tormenta de la vida y la calma de la muerte. Estos procedimientos pasan a Fray Luis y, volviendo a la oda XXII, lo encontramos en esa imagen intercalada brusca e inexplicablemente (como es también frecuente en Horacio) versos 43-48: «Ansí la luz, que agora / serena relucía, con nublados / veréis negra a deshora...»

---

[46] L. P. Wilkinson, *Horace and his Lyric Poetry*, Cambridge, 1968, páginas 129-130.

Como en Horacio, el arte de Fray Luis no se basa en las metáforas (de las que tiene bien pocas[47]), ni en frecuentes comparaciones, ni en un lenguaje rebuscado. Es la estructura oratoria de la oda y la sabia distribución de un léxico aparentemente llano y cotidiano, lo que produce el efecto artístico. Excepto unos pocos casos como «egeo» (XI,7), la lengua es aparentemente llana, aunque con mucha frecuencia esconda latinismos fónicos y semánticos de vario tipo. Pero es una lengua habitual con la que Fray Luis logra un sin fin de efectos desde el nivel fónico, como aliteraciones que llegan a ser onomatopeyas (por ejemplo VII,8 «oro ya y»), o juegos de palabras (como II,7-10: «Alcides...al Cid»), a veces en rima (como XI,4-5: «hoja a hoja...despoja»).

El arte de Fray Luis

El valor de un poeta renacentista no es lo que queda después de restarle las llamadas 'fuentes'. Es ésa una visión muy romántica y bastante equivocada de lo que es literatura en el siglo XVI. La literariedad de esa época es más compleja y más sutil. Entre otras cosas, la 'imitación' forma parte de la poética. Y el poeta, más que crear lo que hace es reescribir[48] a partir de un desbroce de textos anteriores. Se produce un fenómeno de transformación del poeta en el objeto, como dice Du Bellay en la *Deffence et illustration de la langue françoyse*[49]: «par quelz moyens donques ont ils [les Romains] peu ainsi enrichir leur Langue, voyre jusques à l'egaller quasi à la Grecque? Immitant les meilleurs aucteurs Grecz, se transformant en eux, les devorant, et apres les avoir bien digerez, les convertissant en sang et nourriture» Esta transformación va ligada a la búsqueda de

---

[47] Cfr. A. Coster, *op. cit.*, II,236-37; C. Cuevas, *Fray Luis y la Escuela Salmantina*, pág. 38.

[48] T. Cave, *The Cornucopian Text*, págs. 76-77; reescritura que se puede convertir en tenue alusión, a veces de forma muy compleja, cfr. D. G. Coleman, *The Gallo-Roman Muse. Aspects of Roman literary tradition in sixteenth-century France*, Cambridge, 1979, pág. 83 y ss.

[49] Ed. H. Chamard, París, 1948, págs. 42-43 (I,7), citado por T. Cave, *op. cit.*, pág. 64.

profundidad en la palabra poética. Una profundidad que por una parte se basa, como dice Du Bellay, en que «n'y ait vers, ou n'aparoisse quelque vestige de rare et antique erudition» [50]. Una erudición que no consiste tanto en veladas referencias mitológicas, como en una textura verbal llena de alusiones desde el nivel léxico al de imágenes. Se trata de transformar un mundo y un lenguaje informe en otro lleno de resonancias, cuyas palabras están repletas de significado. «Generoso» (XXII,13), por ejemplo, alude en castellano simplemente al linaje, pero en latín, un lector medianamente culto del siglo XVI, la podría relacionar con el *quis est generosus?* de Séneca *(Ad Luc.* XLIV,5), con todas las ideas contra la nobleza de linaje del estoicismo. Lo mismo podríamos decir del «furor» épico de XX,10, que en castellano tiene un significado simple y en cambio en el latín virgiliano es un concepto complejo, relacionado con lo demoníaco y opuesto a *pax* romana y a la *pietas* del *vir iustus* que representa Eneas.

Fray Luis realiza una transformación del lenguaje empezando por el nivel semántico en el que las palabras y formas castellanas a veces recubren conceptos latinos, como ha señalado Lapesa, pero a veces no es el campo semántico sino la semejanza fónica lo que importa. Por ejemplo la palabra «dechado» (en XX,75: «dechado de bien raro» o IV,62: «dechado de virtud y hermosura») que se relaciona formalmente con *decus,* 'ornato', 'belleza' en expresiones como *rarum formae decus.* Aquí no hay un deslizamiento semántico del significado de *decus* sobre el de dechado. «Dechado» conserva su significado de 'modelo' pero se relaciona fónicamente con *decus.*

En un nivel semántico, el cultismo a veces hace que la expresión castellana adquiera un doble significado dando profundidad a la palabra. Por ejemplo en III,1-2: «El aire se serena / y viste de hermosura y luz no usada,». La expresión es bellísima, evocando sensaciones de paz y eternidad. El adjetivo «no usada» es una invención feliz que

---

[50] Cfr. G. Castor, *Pléiade Poetics: a study in sixteenth-century thought and terminology,* Cambridge, 1964, pág. 66.

nos presenta la luz como algo virginal. Pero al mismo tiempo tiene una profundidad de evocaciones que nos remite a expresiones de Prudencio *(Peristephanon* X,955 y otros pasajes) en las que aparece la *insueta lux.* El «aire» a su vez juega con la profundidad de significados que le da su semejanza con *aether* 'cielo' y 'aire'; y «serena» se relaciona con el campo semántico de *temperare,* que va desde la armonía del mundo hasta la templanza de los humores que forman al hombre. Bajo la corteza de una serie de expresiones brillantes de la lengua cotidiana se esconde todo un mundo de ideas que pueden aflorar, o no, según el lector. Y quizá en eso estriba una parte de la genialidad de Fray Luis: crear un lenguaje polivalente de varios niveles de significación.

Esa polivalencia léxica se da también en las imágenes, especialmente en las comparaciones de fenómenos naturales o descripciones del campo, como en XIX,76-80 o XXII,43-47, tan castellanas, como diría Dámaso Alonso[51], pero al mismo tiempo tan virgilianas y bíblicas; o las escenas en las que se describen grupos en movimiento como los árabes en VII,31-40 o las nereidas en XX,53-60, tan llenas de vida, pero también tan llenas de reminiscencias clásicas.

En suma, Fray Luis crea un precioso juego de perspectivas de varia profundidad según el observador. Era algo necesario para ampliar y cubrir espacios que la poesía italianizante no había logrado modelar hasta entonces. Y quizá por eso Fray Luis no llegó a más. La cruzada por crear una nueva lengua poética fue un corsé demasiado rígido que no le permitió superar un cierto formalismo. La estética renacentista no le permitió ir más lejos y gozar de la pura forma o encontrar un nuevo significado en la misma forma. Y, en cuanto a los contenidos, los moldes latinos y neolatinos le impidieron desarrollar una temática que se adaptase más precisamente al nuevo instrumento lingüístico. Y su poesía, aunque perfecta en tantos aspectos, tiene algo

---

[51] Cfr. especialmente «El cultismo en la poesía de Fray Luis de león» en *Poetas y Prosistas de Ayer y de Hoy,* Madrid, 1977, págs. 110 y ss.

de malogrado. Es un rasgo común a muchos poetas renacentistas[52], empezando por los poetas neolatinos, y quizá por eso tiene tantos rasgos en común con ellos. En el equilibrio renacentista entre sumisión a la tradición —fuente de eternidad— y la propia historicidad que obliga a romper con ella, Fray Luis optó por lo primero. Y en esa sumisión se basa su originalidad y sus limitaciones. Herrera en este aspecto es mucho más innovador que Fray Luis en la medida en que es capaz de optar por el amoralismo de la forma y seguir a Pontano. Fray Luis queda atrapado en el propio mecanismo de la *inventio:* la búsqueda de unos materiales lingüísticos y de contenido de un campo cerrado por la poesía clásica.

Neoplatonismo y poesía

Para Fray Luis, el hombre se mueve en un mundo de armonías y la poesía, lo mismo que la música, es una de esas formas de concierto que unen al hombre a Dios a través de la consonancia y el número. Por eso Fray Luis dice en el prólogo al libro III de *Los Nombres de Cristo* (657-58): «porque no hablo desatadamente y sin orden, y porque pongo en las palabras concierto y las escojo y les doy su lugar; porque piensan que hablar romance es hablar como se habla en el vulgo, y no conocen que el bien hablar no es común, sino negocio de particular juicio, así en lo que se dice como en la manera como se dice. Y negocio que de las palabras que todos hablan elige las que convienen, y mira el sonido de ellas, y aun cuenta a veces las letras, y las pesa y las mide, y las compone». El poeta pone «concierto» en las palabras, como el ciego Salinas lo hace con su música instrumental; y ese «concierto» se logra, como diría san Agustín, a través del número[53]. La poesía, incluso en su ni-

---

[52] Cfr. D. Quint, *Origin and Originality in Renaissance Literature,* New Haven-Londres, 1983, pág. 79.

[53] Es lo que se esconde en la expresión «cuenta a veces las letras y las pesa y las mide y las compone». Según san Agustín *(Contra Faustum,* 20,7) la belleza del mundo y del hombre es armonía: «de Dios viene la medida de los cuerpos para que existan, el número para que estén ador-

vel más material, es número. Y el poeta, a través de su obra, reproduce la divina armonía que sostiene el universo: «puesto el atento oído / al son dulce acordado / del plectro sabiamente meneado» (I,83-85). En el *otium* del retiro, el alma recupera algo de su dignidad perdida y está en disposición de llenarse de furor poético y escuchar al dios. Y sólo en el *otium* ideal puede darse la poesía, pues el alma si no está purificada no es presa del furor o, como dice Ficino en el prólogo al *Ion*, «nisi enim praeparata sit non occupatur».

El proceso del entusiasmo platónico nos lo describe bien Pontius de Tyard[54]:

> Le fond, lequel l'Ame ruminant ça bas a rencontré, a esté le corps, auquel elle se delecte et affectionne tant fermement, que pour les divers et contraires objects rencontrez, elle est contrainte de separer, et distribuer ses puissances en diverses et contraires actions, tellement, que la superieure partie de soy est endormie, et (comme on pourroit dire) estonnée de si lourde cheute: et l'inferieure toute agitée et elancée des perturbations, d'où s'engendre un horrible discord et desordre disposé en trop improportionnée proportion. Incompatible par ce point semble estre en elle toute juste action, si par quelque moien cest horrible discord n'est transmué en douce simphonie, et ce desordre impertinent reduit en egalité mesurée, bien ordonnée et compartie. Et ce faire est pour son particulier devoir la fureur Poëtique chargée, resveillant par les tons de Musique l'Ame en ce, qu'elle est endormie, et confortant par la suavité et douceur de l'harmonie la partie perturbée, puis par la diversité bien accordée des Musiciens accords chassant la dissonante discorde et en fin reduisant le desordre en certaine egalité bien et proportionnément mesurée, et compartie par la gracieuse et grave facilité de vers compassez en curieuse observance de nombres et de mesures.

nados y el peso para que sean ordenados», comentando *(Sapientia* 11,21): «sed omnia in mensura, et numero et pondere disposuisti», cfr. K. Svodboa, *La estética de S. Agustín,* Madrid, 1958, pág. 229.

[54] *Solitaire Premier, ou, Prose des Muses, et de la fureur poëtique* (1552), ed., S. F. Baridon, Ginebra, 1950, págs. 18-20, citado por G. Castor, *op. cit.,* págs. 31-32; Tyard parafrasea a Ficino, cfr. el texto aducido en la oda III, págs. 80-81.

También para Fray Luis, «la poesía no es sino una comunicación del aliento celestial y divino»[55]. El poeta queda endiosado y la divinidad inspira el «nuevo canto» (IV,1).

Por otra parte, para la crítica literaria platónica, la poesía tiene la función de instruir al hombre. Pero esa función no la cumple cualquier tipo de poesía, hay que aplicar una censura. A un nivel ideológico el platonismo se adapta al espíritu de los Indices Inquisitoriales de la segunda mitad de siglo. Así, para nuestro agustino, como para Pedro de Valencia[56] y otros platónicos —a la zaga de prólogo al *Gorgias* de Ficino— hay dos tipos de poesía: la verdadera poesía y la falsa poesía, la de los «versos y cantarcillos livianos»[57]. La verdadera poesía es la de tema moral y la de la «Musa poderosa en la cristiana lira» (XIX,3-4). La falsa poesía es la poesía tradicional, la poesía amorosa italianizante y quizá también la ficción narrativa, los libros de caballerías. En el poema IX sobre el canto falso de las Sirenas que atraen a Ulises se esconde un poco de esa aversión por la ficción similar al rechazo platónico de los «relatos de Alcinoo» *(Rep.* X,614b). Las Sirenas atraen con «mil historias que canto» (IX,49). Pero son historias ficticias que destruyen al hombre. La narrativa, en la medida en que juega con la realidad y la inventa, no puede ser aceptada. Por eso Arias Montano condenará los libros de caballerías en sus *Rhetoricorum libri*[58].

La verdadera poesía es la de la «Musa cristiana», que curiosamente enlaza con la misma expresión en el exordio de la *Coplas contra los siete pecados mortales* de Juan de Mena y con las *Sátiras Morales* de Alvar Gómez de Ciudad Real[59]. Enlaza pues con la vieja tradición cancioneril de la que el humanismo salmantino no se ha desgajado y cuya semántica sigue viva en la reedición de Juan de Mena

[55] *Los Nombres de Cristo,* pág. 469.
[56] Cfr. mi «Tendences et caractéristiques de la poésie hispano-latine de la Renaissance», en A. Redondo, ed., *L'Humanisme dans les Lettres Espagnoles,* París, 1979, págs. 140-41.
[57] *Los Nombres de Cristo,* pág. 469.
[58] B. Arias Montano, *Rhetoricum libri IV,* Valencia, 1775, págs. 88-89.
[59] Cfr. XIX, 3-4.

por el Brocense. La poesía amorosa de Garcilaso se considera únicamente como un nuevo estilo que no cubre los significados de la verdadera poesía[60].

La verdadera poesía enlaza también con Arias Montano que presenta un tipo de poesía libre de 'fábulas', *a falsis divorum nominibus alienissima* (según dice el prólogo de Pedro de Valencia a sus *Poemata*[61]), que se enfrenta a los Pontanos y Polizianos a los que no ha inspirado Dios: «Eiusmodi autem poemata, qualia multa hodie gentium poetarum circumferuntur, non ab Urania, ullave caelesti Musa profecta sunt, nec a Deo acti et calefacti ipsi (ut iactant) ea effuderunt: non enim stulta vanaque superstitione vanisque tot deorum numinibus et nominibus plena essent, tot vitiorum illecebras et irritamenta continerent.» Fray Luis y Montano coinciden en su búsqueda de una poesía cristiana nueva. Uno de los caminos comunes es la traducción de los *Salmos*. El otro es la admiración por unas actitudes éticas tintadas de estoicismo. El deseo común de apartamiento en La Flecha o en la Peña de Aracena respectivamente tiene su expresión literaria en la común preferencia por la poesía horaciana. Y también coinciden en el platonismo. La difusión del platonismo es un fenómeno con connotaciones ideológicas, como señala B. Weinberg[62], y cubre líneas importantes de la crítica literaria de España e Italia del último tercio del siglo XVI: «one may note an increase in the number of [Platonic] critics and theorists who display an ultra-Catholic attitude toward questions of literature. Some of these are churchmen, and they undoubtedly reflect the conclusions of the successive meetings of the Council of Trent-conclusions which tended to place stringent limitations on the practice and uses of poetry. One may perhaps nothe this as a general development in the century, a repentance over the pagan excesses of the

---

[60] «Herrera y Pontano: la métrica en las *Anotaciones*», págs. 351-54.

[61] Amberes, 1589, págs. 6-7; son críticas a la mitología semejantes a las que aparecen en Francia en torno a la Pléiade, cfr. D. P. Walker, *The Ancient Theology*, Ithaca, 1972, págs. 91-93.

[62] B. Weinberg, *A History of Literary Criticism in the Italian Renaissance*, I, Chicago, 1963, pág. 297.

earlier years and wish to rival, if not overtake, the strait-laced Puritanism of the reformed churches». Sintomática-mente, el platonismo estético incidirá especialmente entre jesuitas. Weinberg cita naturalmente jesuitas italianos dentro de esa línea[63]. Me pregunto qué antecedentes tiene eso en España. Desde luego Fray Luis es uno de esos antecedentes y por eso su fama llega al autor del *De poesi et pictura ethnica* (1593), el jesuita Antonio Possevino, que lo cita elogiosamente en varios pasajes[64].

De cronología

No pretendo ofrecer una nueva fechación. En las introducciones a cada oda toco el problema y doy la datación tradicional que me parece más probable. Aquí solamente querría tratar los criterios generales y resaltar la dificultad de la tarea.

En primer lugar, las dataciones de la poesía luisiana utilizan como pivote las alusiones a cárceles, prisiones y tormentos para fechar poemas 'antes' o 'después' de la cárcel. Pienso que no es un criterio válido[65]. No se puede aceptar que referencias como «torbellino traidor» (XI,36) o que cada vez que aparece «prisión» (X,2) o «tirano» (XVI,5) o «envidia ponzoñosa» (XV,3) han de aludir a los inquisidores y sus celdas. Dentro de la lógica interna de su poesía, la cárcel que importa es la del cuerpo, la de las falsas opiniones y la del desconocimiento de sí mismo; sería un contrasentido que un hombre que predica el rechazo de bienes y males externos se quejara de una cárcel concreta. Y de hecho, excepto el título del poema XXIII, título que por

   [63] *Ibíd.*, págs. 308 y 335 y ss.
   [64] En su *Bibliotheca selecta de ratione studiorum*, véase C. Cuevas, Fray Luis de León, *De los Nombres de Cristo*, Madrid, 1982, págs. 86 y 93.
   [65] Cfr. también Colin P. Thompson, «*En la Ascensión:* Artistic Tradition and the Poetic Imagination in Luis de León», en *Mediaeval and Renaissance Studies on Spain and Portugal in Honour of P. E. Russell,* Oxford, 1981, pág. 113.

lo demás considero espúreo, no hay ninguna referencia unívoca a la cárcel inquisitorial. Lo que sí es cierto es que Fray Luis juega con la ambigüedad de la palabra, y sabe que determinados poemas, aunque escritos algún tiempo antes de la cárcel, como el XI «Recoge ya en el seno», o el XVI «Aunque en ricos montones», se interpretarían como acusaciones contra sus torturadores. Pero no encuentro ninguna diferencia entre las quejas del «torbellino traidor» de XI,36 o la «envidia ponzoñosa» de XV,3 y las lamentaciones por la misma «envidia ponzoñada» de XXI,37 que probablemente se escribieron en la cárcel.

En segundo lugar, un criterio de datación más seguro me parecen las relaciones internas entre las odas y las coincidencias entre odas y traducciones u otros textos. Es un criterio que puso de relieve Entwistle[66] y me parece válido. Es probable que las odas VII y XX se escribieran en fechas cercanas y no muy lejos de la XXII (1569). Podemos suponer que las traducciones de Horacio I,22 y IV,13 (editadas por el Brocense en su *Comentario a Garcilaso* de 1574) se relacionan con XV «No siempre es poderosa» y con VI «Elisa, ya el preciado»; o podemos relacionar el *Comentario al Salmo XXVI* con la oda X y fecharla en torno a 1577-78. Pero este criterio tampoco se puede apurar demasiado.

Se podría aducir otros criterios. Por ejemplo, yo estaría de acuerdo con Entwistle en suponer que la oda I no estaba escrita en 1574, porque si no la habría citado el Brocense al comentar el «Cuán bienaventurado» de Garcilaso, en vez de la traducción luisiana del épodo II y no habría escrito que «ay pocos casos destos en nuestra lengua»[67]. Pero son criterios subjetivos no verificables, y Macrí, por ejemplo, fecha la oda I en el periodo anterior a la cárcel y quizá acierte.

En suma, creo que sólo podemos considerar seguro que las odas II, IV y XXII se escribieron en 1570, 1569-70 res-

---

[66] «Fray Luis de León's Life in his Lyrics. A new interpretation» *RHi*, LXXI, 1927, págs. 176-224.

[67] *Ibíd.*, pág. 211.

pectivamente, pues aluden a sucesos de esos años; y quizá la oda XXIII se escribiera en 1576 al salir de la cárcel. Tentativamente se puede también enmarcar el periodo de producción poética entre 1568 y 1580[68] aproximadamente.

El texto

La poesía de Fray Luis no se puede separar, a efectos de su transmisión manuscrita, de las traducciones. Los lectores del siglo XVI no valoraron menos sus versiones clásicas y bíblicas que su poesía original, y entendieron, como el mismo Fray Luis, que eran dos cosas complementarias. La poesía y las versiones se leían como un conjunto unitario y las vicisitudes de su transmisión deben estudiarse sobre la totalidad de los textos. Hasta ahora no se ha hecho así. El único dominio explorado ha sido el de la poesía original y los resultados, en consecuencia, son sólo provisionales. Y desde luego, el texto que ofrezco no suple esa falta.

Por lo demás, en el estricto dominio de la poesía original, no tenemos todavía una edición crítica solvente con un aparato crítico completo. La edición de A. Custodio Vega (Madrid, 1955) es la más rica, pero está plagada de «descuidos, errores, lagunas de construcción y de método», como señala Macrí. Su aparato crítico resulta inútil porque no exime de revisar ni las variantes de la edición de Quevedo. Don José Manuel Blecua está preparando una nueva edición que suplirá sin duda estas cosas. De momento tenemos la edición de O. Macrí que es indudablemente la más aceptable y la más rigurosa. Sin embargo, su aparato crítico es más pobre que el de *Vega* y en una transmisión textual tan fluida como la de Fray Luis, su criterio es demasiado rígido y elimina variantes que pueden ser las correctas.

Según la descripción de *Macrí*, y dejando de lado el pro-

---

[68] Por lo menos la *Dedicatoria* a Portocarrero lleva la fecha de 1580 en el manuscrito luisiano de la Hispanic Society de Nueva York (según A. C. Vega, Fray Luis de León, *Poesías*, Barcelona, 1975, pág. 7).

blema de la familia primitiva, la transmisión manuscrita está representada por dos familias principales[69]:

A. La de la edición príncipe de Quevedo *(q)* de Madrid, 1631, y una serie de manuscritos emparentados.

B. La familia del manuscrito *Jovellanos,* de finales del siglo XVI y otros manuscritos emparentados *(alfa).* En esta familia falta la *Dedicatoria,* se omiten muchos poemas que aparecen en *Quevedo,* casi todos de atribución dudosa, y a partir de la oda XII se altera el orden de *Quevedo.* Emparentada con *Jovellanos* tenemos una tercera familia conocida como *Alcalá,* en la que aparece la *Dedicatoria,* pero el orden de los poemas es distinto, y falta la primera composición. Por último está el manuscrito *San Felipe,* de fines del siglo XVI, que sigue el mismo orden de *q* en las composiciones, e incluye la *Dedicatoria.* Pero en sus lecturas es sustancialmente diferente de *q* y más cercano a *alfa.*

La recensión de estos manuscritos es la siguiente: *alfa* representaría un estadio preparatorio de *q,* con el que aparece emparentado por errores comunes. *Alcalá* y *San Felipe* dependen de *alfa* en distinto grado y a su vez están contaminados por *q.*

La transmisión de la obra de Fray Luis fue, como la de la mayor parte de poetas del siglo XVI, a través de copias manuscritas. En esa transmisión, según la recensión expuesta, podemos distinguir dos etapas: una primitiva de difusión de composiciones aisladas que por azar e irregularmente se pudieron reunir; y una segunda etapa en la que el mismo poeta preparó una colección de poemas propios y traducciones con un prólogo importante para los poemas suyos y otro para las traducciones de los Salmos. El objetivo de una edición es fijar el texto que refleje mejor ese estadio para las composiciones originales. Sobre ese texto es presumible que el mismo Fray Luis hiciera correcciones, y tenemos que aceptar que lecturas variantes fruto de redacciones posteriores puedan esconderse en cualquiera de

---

[69] Para la descripción de los manuscritos cfr. O. Macrí, ed., *Fray Luis, Poesía,* Florencia, 1950, págs. LXVI-LXXXIII y Barcelona, 1982, páginas 140-141; A. C. Vega, ed., *Poesías,* Madrid, 1955, págs. 361-412.

las familias de manuscritos; de la misma manera que sabemos que hay un proceso de corrección para las primeras redacciones[70], es plausible que también sufrieran modificaciones los estadios posteriores. A esto hay que añadir la gran cantidad de variantes, en las que no se puede distinguir si son correcciones de autor, contaminaciones o refundiciones. Macrí lo señala bien[71]: «la consistencia de los manuscritos que se alejan más o menos del manuscrito *Jovellanos* y del ascendente de la *quevediana* es bastante incierta y compleja, a causa de la mescolanza, aún hoy enmarañada, entre lección de autor y tradición —especialmente conventual, agustiniana—, ya en vida de Fray Luis y paralelamente a su trabajo poético, además de la contaminación».

Ninguno de los testimonios refleja el original que debió preparar Fray Luis hacia 1580. Pero de las dos familias, la mejor (en ello coinciden la mayoría de los editores modernos como Coster, Llobera o Macrí) es la que representa la edición de Quevedo. Es el texto que ofrece las redacciones finales, generalmente las lecciones más difíciles, a veces únicas, o las lecturas latinizantes más oscuras, como XXII,50: «temes al claro Alfonso» frente a *Jovellanos* y *S. Felipe* que traen «temes del caro Alfonso». La lectura de *Quevedo* es la correcta porque refleja la construcción latina de *timeo* con dativo en el sentido de 'temer por alguien'.

Al mismo tiempo, la familia *Quevedo* no ofrece un texto cuidado, pues incluye poemas de dudosa atribución o le faltan estrofas resultado de una copia apresurada, como en III,21-25: «Ve como...», omitida por *homoioteleuton* con la siguiente «Y como...». Probablemente Fray Luis no pensaba publicar su colección de poemas a pesar del tono de la *Dedicatoria*. O más bien quiso dar esa impresión, dejándolo en una dudosa posibilidad, como una epístola *ad posteritatem*. Como señala Alberto Blecua[72]: «Todo parece indicar que se trataba de una colección manuscrita autorizada, un 'ejemplar' que serviría de arquetipo para futuras co-

[70] Por ejemplo «La Profecía del Tajo», *Vega,* págs. 583-86.
[71] *Poesías,* Barcelona, 1982, pág. 148.
[72] «En torno al texto», pág. 87.

52

pias». Ese 'ejemplar' se presenta en la *Dedicatoria* como libre de «mil malas compañías que se le habían juntado» y enmendado «de otros tantos malos siniestros que había cobrado con el andar vagueando». Pero los viejos amores son difíciles de olvidar, y las malas compañías volvieron sin duda al hijo perdido de Fray Luis. Y los poemas atribuidos, la contaminación y las versiones interpoladas serán un rasgo endémico de la transmisión de la obra luisiana.

A pesar de todo, pienso que de una forma provisional, la reconstrucción del arquetipo se puede conseguir, por lo menos en su núcleo central formado por la *Dedicatoria* y un grupo de 23 odas. Macrí supone que la ordenación de las odas es casual[73]. Pienso que no es totalmente exacto. Hay una tenue ordenación, lo mismo que la hay en las traducciones de Horacio y en los Salmos. Reflejo de esa ordenación es la coincidencia en el orden de la primera docena de odas en *Quevedo* y *Jovellanos,* y la separación de las odas morales al principio y las odas cristianas (XVIII-XXI) después. Por otra parte, la oda I es claramente sintética e introductoria. Pero justamente porque el orden parece casual (por eso el copista de *Alcalá* las reordena por afinidades y destinatarios) pienso que refleja en parte el orden que les dio Fray Luis.

El texto que ofrezco parte de *Macrí,* que tiene como base a Quevedo. A partir del aparato crítico de esta última edición, de la de *Vega* y *Llobera,* he enmendado el texto en algunos pasajes. Salvo excepciones, son enmiendas conservadoras que tienden a defender las lecturas de *Quevedo.* También he procurado razonar en algún caso lecturas discutidas de *Quevedo* aunque aceptadas por *Macrí.* Reúno a continuación las enmiendas:

II,16: *su;* III,21-25 la considero pérdida de copia, no corrección; IV,10 *sal y verás;* VI,76 *Lo;* IX,51-55 considero auténticos estos versos; XIV,56 *opón;* XXII,9 *Lyeo;* XXIII Título: [Al salir de la cárcel]; Son. V,1: *lucero.*

En la anotación se da razón de estas lecturas. En otros casos he dado las lecturas variantes más importantes. Por

---

[73] *Ibíd.,* pág. 149.

ejemplo las variantes de algunos títulos de odas que podrían ser las originales. Aunque es posible que algunas odas no llevaran título, las variantes, aunque sean incorrectas, reflejan cómo se entendía un texto en el siglo XVI.

El texto de Fray Luis ha sido anotado con cariño por varios y buenos investigadores, empezando por Menéndez y Pelayo. Los trabajos más cuidados son los de Llobera y Macrí. Yo los he empleado constantemente y he tomado de ellos lo que he considerado válido. No los he citado en cada nota, pero doy constancia aquí de mi deuda respecto a esas ediciones anteriores. Cada oda va precedida de una introducción en la que se intenta dar una comprensión global del texto y filiarlo dentro de los géneros humanísticos.

Bibliografía selecta

I. EDICIONES DE LA POESIA ORIGINAL

CUEVAS, C., *Fray Luis de León y la escuela salmantina*, Madrid, 1982.

GARCÍA, F., *Obras Completas Castellanas*, 3.ª edición, Madrid, 1959.

LLOBERA, J., Luis de León, *Obras poéticas*, 2 vols., Cuenca, 1931-33.

MACRÍ, O., Fray Luis de León, *Poesie. (Testo criticamente riveduto, traduzione a fronte, introduzione e commento, a cura di,* Florencia, 1950.

— *Poesías*, Barcelona, 1982.

MENÉNDEZ Y PELAYO, M., Fray Luis de León, *Poesías*, Madrid, 1928.

MERINO, A., *Obras del M. Fr. Luis de León*, 6 vols., Madrid, 1804-1816.

SARMIENTO, E., *The Original Poems of Fray Luis de León*, Manchester, 1953.

VEGA, A. C., Fray Luis de León, *Poesías*, Madrid, 1955.

II. ESTUDIOS

ALARCOS LLORACH, E., «La oda "Virtud, hija del cielo" de Luis de León», *Archivum*, XXVII-XXVIII (1977-78), págs. 5-15.

— «En una esperanza que salió vana», en *Estudios sobre literatura y arte dedicados al profesor Emilio Orozco Díaz*, I, Granada, 1979, págs. 11-20.

— «'Las Serenas' de Luis de León», *Anuario de Estudios Filológicos* (Cáceres), III (1980), págs. 7-19.

— «'No siempre es poderosa' de Luis de León», *Academia Literaria Renacentista. 1 Fray Luis de León*, Salamanca, 1981, págs. 11-22.

— «Tres odas de Luis de León», *Archivum*, XXXI-XXXII (1981-1982), págs. 19-63.

— «La oda a Grial de Luis de León», *en Homenaje a José Manuel Blecua*, Madrid, 1983, págs. 59-72.

ALONSO, D., «Fray Luis de León y la poesía renacentista» en *Obras completas*, II, Madrid, 1973, págs. 769-788.

— «Vida y poesía en Fray Luis de León» en *Obras Completas* II, págs. 789-842.

— «Fray Luis en la 'Dedicatoria' de sus poesías: desdoblamiento y ocultación de personalidad», en *Obras Completas*, II, páginas 843-868.

ASENSIO, E., «El ramismo y la crítica textual en el círculo de Luis de León», en *Academia Literaria Renacentista. I Fray Luis de León*, págs. 47-76.

BLECUA PERDICES, A., «El entorno poético de Fray Luis», en *Academia Literaria Renacentista. I Fray Luis*, págs. 77-79.

BUSTOS, E., «Algunas observaciones semiológicas y semánticas en torno a Fray Luis de León», en *Academia Literaria Renacentista. I Fray Luis*, págs. 101-145.

COSTER, A., *Luis de León (1528-1591)*, 2 vols., Nueva York-París, 1921-22, tirada aparte de la *Revue Hispanique*, LIII-LIV (1921-22).

DAVIES, G. A., «Notes on Some Classical Sources for Garcilaso and Luis de León», *HR*, XXXII (1964), págs. 202-216.

ENTWISTLE, J. W. «Fray Luis de León's life in his lyrics. A new interpretation» *RHi*, LXXI (1927), págs. 176-224.

FERNÁNDEZ LEBORANS, M. J., «La noche en Fray Luis de León. De la denotación al símbolo», *Prohemio*, IV (1973), páginas 337-353.

KOUVEL, A. y L., «Fray Luis de León's Haven: A Study in Structural Analysis», *MLN*, LXXXIX (1974), págs. 146-58.

LAPESA, R., «Las odas de Fray Luis de León a Felipe Ruiz», *Homenaje a Dámaso Alonso*, II, Madrid, 1961, págs. 301-318; *De la Edad Media a nuestros días*, Madrid, 1967, págs. 172-192.

— «El cultismo en la poesía de Fray Luis de León», en *Atti del Convegno Internazionale sul tema: Premarinismo e Pregongorismo*, Roma, 1973; *Poetas y Prosistas de Ayer y de Hoy*, Madrid, 1977, págs. 110-128.

— «El hipérbaton en la poesía de Fray Luis de León», *Studies in Spanish Literature of the Golden Age presented to E. M. Wilson*, Londres, 1973; *Poetas y Prosistas*, págs. 128-145.

— «Garcilaso y Fray Luis de León: coincidencias temáticas y contrastes de actitudes», *Poetas y Prosistas*, págs. 146-177.

LÁZARO CARRETER, F., «Los sonetos de Fray Luis de León», *Mélanges à la mémoire de J. Serrailh*, II, París, 1966, págs. 29-40.

— «Más observaciones sobre la estrofa quinta de la Oda a Salinas», en *Estudios sobre Literatura y Arte dedicados al Profesor Emilio Orozco Díaz, II,* Granada, 1979, págs. 279-286.

— «Imitación compuesta y diseño retórico en la Oda a Juan de Grial», *Anuario de Estudios Filológicos* (Cáceres) II (1979) págs. 89-119; *Academia Literaria Renacentista. I Fray Luis,* págs. 193-223.

— «Notas a la oda primera de Fray Luis de León», *Homenaje al profesor Francisco Yndurain,* Madrid, 1984, págs. 297-307.

MACRÍ, O., «Sobre el texto crítico de las poesías de Fray Luis de León», *Thesaurus. Boletín del Instituto Caro y Cuervo,* XII (1957), págs. 1-52.

MAURER, K., *Himmlischer Aufenthalt. Fray Luis de León's Ode 'Alma región luciente',* Heidelberg, 1958.

MAY, T. E., SARMIENTO, E., «Fray Luis de León and Boethius», *MLR,* XLIX (1954), págs. 183-192.

MILLÁS VALLICROSA, J. M., «Probable influencia de la poesía sagrada hebraico-española en la poesía de Fray Luis de León», *Sefarad,* XV (1955), págs. 261-286.

MORREALE, M., «Algo más sobre la oda 'Recoge ya en el seno...'», *NRFH,* XXXII (1983), págs. 380-388.

— «Para una lectura de la oda de Fr. Luis de León 'No siempre es poderosa'», en *Estudios románicos dedicados al Prof. Andrés Soria Ortega,* Granada, 1985, págs. 351-367.

QUILIS, A., «Los encabalgamientos léxicos en —*mente* de Fray Luis de León y sus comentaristas» *HR,* XXXI (1963), págs. 22-39.

RICARD, R., «Le Bon Pasteur et la Vierge dans les poésies de Louis de León», en *Nouvelles Études Religieuses,* París, 1973, págs. 122-141.

RICO, F., «Fray Luis de León», en *El pequeño mundo del hombre,* Madrid, 1970, págs. 170-179.

— «Tradición y contexto en la poesía de Fray Luis de León», *Academia Literaria Renacentista. I Fray Luis de León,* páginas 246-248.

RIVERS, E., *Fray Luis de León. The original Poems,* Londres, 1983.

— «Fray Luis de León: traducción e imitación», *Edad de Oro,* IV (1985), págs. 107-115.

SARMIENTO, E., «Fray Luis de León '¡Qué descansada vida!' and the first carmen of Tibullus», *BHS,* XLVII (1970), págs. 19-23.

SENABRE, R., *Tres estudios sobre Fray Luis de León,* Salamanca, 1978.

— «Aspectos fónicos en la poesía de Fray Luis de León», *Academia Literaria Renacentista. I Fray Luis de León,* págs. 249-269.

SPITZER, L. «Fray Luis de Leon's *Profecía del Tajo*», *Romanische Forschungen* XLIV (1952), págs. 225-240; *Romanische Literaturstudien*, Tübingen, 1959, págs. 732-48; *Estilo y estructura en la literatura española*, Barcelona, 1980, págs. 195-212.
— «The Poetic Treatment of a Platonic-Christian Theme», *Comparative Literature* VI (1954), págs. 193-217.
— *L'Armonia del mondo. Storia semantica di un'idea*, Bolonia, 1963, págs. 146-151.
THOMPSON, COLIN, P., «*En la Ascensión:* Artistic tradition and the Poetic Imagination in Luis de León», en *Mediaeval and Renaissance Studies on Spain and Portugal in Honour of P. E. Russell*, Oxford, 1981, págs. 109-120.
VOSSLER, K., *Fray Luis de León*, Buenos Aires, 1946.
WOODWARD, L. J., «*La vida retirada* of Fray Luis de León», *BHS*, XXXI (1954), págs. 17-26.
— «Fray Luis de León's 'Oda a F. Salinas», *BHS*, XXXIX (1962), págs. 69-77.

Abreviaturas

Las abreviaturas de revistas son las habituales en la *Nueva Revista de Filología Hispánica*. Para remitir a la obra romance de Fray Luis distinta de la poesía original utilizo la edición de F. Garcia, *Obras completas castellanas*, 3.ª edición, Madrid, 1959. La obra latina se cita por la edición de M. Gutiérrez, *Magistri Luysii Legionensis... Opera*, 7 vols., Salamanca, 1891-95.

Alvar Ezquerra: A. Alvar Ezquerra, *Acercamiento a la Poesía de Alvar Gómez de Castro (Ensayo de una biografía de su poesía latina»*, 2 vols., Madrid, 1980.

Arias Montano, *Hymmi:* B. Arias Montano, *Hymni et Saecula,* Amberes, 1593.

Arias Montano, *Poemata:* B. Arias Montano, *Poemata in IV tomos distincta,* Amberes, 1589.

Bell: A. F. G. Bell, *Luis de León,* Barcelona, 1927.

Carmina Illustrium: Io. Mattahaeus Toscanus, *Carmina Illustrium Poetarum Italorum,* 2 vols., París, 1577.

Carmina Quinque: Carmina Quinque Illustrium Poetarum... Additis nonnullis M. Antonii Flaminii libellis, Florencia, 1552.

Dicc Aut.: Diccionario de Autoridades, 3 vols. [1726-1737], ed. facsímil, Madrid, 1964.

Lucio Flaminio Sículo: Lucio Flaminio Sículo, *Epigrammaton libellus,* Salamanca, 1503.

Kiessling-Heinze: A. Kiessling-R. Heinze-E. Burck, Q. Horatius Flaccus, *Oden, Satiren und Episteln,* 3 vols., Berlín, 1961-64.

Llobera: J. Llobera ed., Fray Luis de León, *Poesías,* 2 vols. Madrid, 1932-33.

Lapesa: R. Lapesa, *Poetas y prosistas de ayer y de hoy,* Madrid, 1977.

Macrí: O. Macrí, ed., Fray Luis de León, *Poesías,* Barcelona, 1982.

Nisbet-Hubbard: R. G. M. Nisbet-M. Hubbard, *A Commentary on Horace Odes. Book 1,* Oxford, 1970.

Juan Petreyo, *Magdalenae:* Juan Petreyo (Pérez), *Libri quattuor in laudem divae Mariae Magdalenae,* Toledo, 1552.

Pérez de Moya: J. Pérez de Moya, *Philosophia secreta*, 2 vols., Madrid, 1928.

Hernán Ruiz de Villegas, *Opera: Ferdinandi Ruizi Villegatis quae extant opera*, Venecia, 1734.

Sannazaro, *Opera: Iacobi Sannazari Opera Omnia*, Romae, 1590.

E. Sarmiento, *Concordancias:* E. Sarmiento, *Concordancias de las obras poéticas en castellano de Garcilaso de la Vega*, Madrid, 1970.

R. Textor, *Officina: Officina Ioannis Ravissi Textoris*, Venecia, 1598.

Vega: A. C. Vega, ed., Fray Luis de León, *Poesías*, Madrid, 1955.

Poesía

[Dedicatoria]

A don Pedro Portocarrero [1]

FRAY LUIS DE LEÓN

Entre las ocupaciones de mis estudios en mi mocedad, y casi en mi niñez, se me cayeron como de entre las manos estas obrecillas, a las cuales me apliqué, más por inclinación de mi estrella, que por juicio o voluntad. No porque la Poesía, mayormente si se emplea en argumentos debidos, no sea digna de cualquier persona y de cualquier nombre —de lo cual es argumento que convence haber usado Dios de ella en muchas partes de sus Sagrados Libros, como es notorio—, sino porque conocía los juicios errados de nuestras gentes, y su poca inclinación a todo lo que tiene alguna luz de ingenio o de valor; y entendía las artes y

---

[1] Esta dedicatoria falta en *Jovellanos*. En ella Fray Luis «encubre su nombre con el de un amigo», como añade el códice *S. Felipe*. Fray Luis finge ser un poeta desconocido que da fe de su paternidad de las poesías para librar al verdadero Fray Luis de tan pesada carga. Dámaso Alonso analiza bien este juego en «Fray Luis en la Dedicatoria de sus poesías (Desdoblamiento y ocultación de personalidad)», en *Obras Completas,* II, Madrid, 1973, págs. 343-368. Sin embargo, es poco probable que pensara imprimir sus poesías. Más bien pensaría en una difusión manuscrita (Cfr. *supra* «El texto», págs. 50-54).

Pedro Portocarrero era el segundón de una familia noble, los marqueses de Villanueva del Fresno. Estudió leyes en la Universidad de Salamanca, donde fue rector. Siguió una brillante carrera eclesiástica: canónigo de Sevilla, regente de la Audiencia de Galicia durante nueve años; en 1580 formó parte del Consejo Real, y después del Consejo Supremo de la Inquisición. En 1589 fue obispo de Calahorra, después obispo de Cuenca hasta 1596. Formó parte del Consejo de Estado de Felipe II, pero cayó en desgracia y regresó a Cuenca en 1599 para morir al año siguiente. Fray Luis le dedicó además de varias odas (II,XV y XXII) varias de sus obras *(Los Nombres de Cristo* e *In Abdiam Prophetam).*

maña de la ambición y del estudio del interés propio y de la presunción ignorante, que son plantas que nacen siempre y crecen juntas y se enseñorean agora de nuestros tiempos. Y ansí tenía por vanidad excusada, a costa de mi trabajo, ponerme por blanco a los golpes de mil juicios desvariados, y dar materia de hablar a los que no viven de otra cosa. Y señaladamente, siendo yo de mi natural tan aficionado al vivir encubierto, que después de tantos años, como ha que vine a este Reino, son tan pocos los que me conocen en él, que, como Vmd. sabe, se pueden contar por los dedos. Por esta causa nunca hice caso de esto que compuse, ni gasté en ello más tiempo del que tomaba para olvidarme de otros trabajos, ni puse en ello más estudio del que merecía lo que nacía para nunca salir a luz; de lo cual ello mismo, y las faltas que en ello hay, dan suficiente testimonio.

Pero, como suele acontecer a algunos mozos que maltratados de los padres o ayos, se meten frailes, así estas mis mocedades, teniéndose como por desechadas de mí, se pusieron, según parece, en religión, y tomaron nombre y hábito muy más honrado del que ellas merecían; y han andado debajo de él muchos días en los ojos y en las manos de muchas gentes, haciendo agravio a una persona religiosa y bien conocida de Vmd., a quien se allegaron; con la cual yo en los años pasados tuve estrecha amistad, y no la nombro aquí por no agraviarla más. La ocasión de este error Vmd. la sabe y, porque es para pocos, y decirla aquí sería comunicarla con muchos, no la digo. Basta saber que la persona que he dicho, por condescender con mi gusto, que era vivir desconocido, disimuló, hasta que, fatigado ya con otras cosas que la malicia y envidia [2] de algunos hombres pusieron a sus cuestas —de las cuales Dios le descargó, como se ha parecido—, trató conmigo que, si no me era pesado, le librase yo también de esta carga. Si el reconocer mis obras y el publicarme por ellas fuera poner en condición la vida, en un ruego y demanda tan justa lo hiciera; y no aventurando en ello cosa que importe más que es vencer un gusto

---

[2] *la malicia y envidia*: se refiere a las acusaciones inquisitoriales.

64

mío particular, si lo rehusara, no me tuviera por hombre. Y así lo hice o, por mejor decir, lo hago ahora. Y recogiendo a este mi hijo perdido, y apartándole de mil malas compañías que se le habían juntado, y enmendándole de otros tantos malos siniestros que había cobrado con el andar vagueando, le vuelvo a mi casa y recibo por mío. Y porque no se queje de mí que le he sacado de la Iglesia adonde él se tenía por seguro, envíole a Vmd. para que le ampare como cosa suya, pues yo lo soy; que con tal trueque bien sé que perderá la queja y se tendrá por dichoso.

Son tres partes las de este libro. En la una van las cosas que yo compuse mías. En las dos postreras, las que traduje de otras lenguas, de autores así profanos como sagrados. Lo profano va en la segunda parte, y lo sagrado, que son algunos Salmos y capítulos de Job, van en la tercera.

De lo que yo compuse juzgará cada uno a su voluntad; de lo que es traducido, el que quisiere ser juez, pruebe primero qué cosa es traducir poesías elegantes de una lengua extraña a la suya, sin añadir ni quitar sentencia y con guardar cuanto es posible las figuras del original y su donaire, y hacer que hablen en castellano y no como extranjeras y advenedizas, sino como nacidas en él y naturales. No digo que he hecho yo, ni soy tan arrogante, mas helo pretendido hacer, y así lo confieso. Y el que dijere que no lo he alcanzado, haga prueba de sí, y entonces podrá ser que estime mi trabajo más; al cual yo me incliné sólo por mostrar que nuestra lengua recibe bien todo lo que se le encomienda, y que no es dura ni pobre, como algunos dicen, sino de cera y abundante para los que la saben tratar.

Mas esto caiga como cayere, que yo no curo mucho de ello; sólo deseo agradar a Vmd., a quien siempre pretendo servir; y el que no me conociere por mi nombre, conózcame por esto, que es solamente de lo que me precio, y lo que, si en mí hay cosa buena, tiene algún valor.

I

Es difícil fechar esta composición. La investigación ofrece las opiniones más dispares: desde fecharla en 1556 y suponerla dedicada al retiro de Carlos V en Yuste, hasta fecharla en la época posterior a la cárcel, hacia 1577. Como he indicado antes (pág. 49) preferiría esta última datación.

Esta oda inicial es una síntesis de todos los temas que tratará después en el libro de su poesía original. Las dos familias principales de manuscritos la colocan en primer lugar, y, sin duda, Fray Luis la puso ahí con carácter proemial, de forma semejante a la primera elegía del *Monobyblon* de Propercio que es también una síntesis. También en Horacio las primeras odas de los libros tienen un carácter especial, aunque sólo sea por el destinatario (cfr. R. G. Nisbet-M. Hubbard, *A Commentary on Horace Odes,* I, xxiii). En esta oda encontramos la búsqueda de la virtud «la escondida senda», la virtud de Aristóteles (II) y la de Todos los Santos (XIX); la apatía estoica, el «vivir conmigo» (XVII); el horror del justo ante las pasiones y los errores del vulgo: «libre de amor» (VI), libre «del dorado techo» (V), de la tiranía «de a quien la sangre ensalza» (XVI); y sobre todo el viejo tema estoico y cristiano del *secessus,* el apartamiento (XIV).

Ese apartamiento lleva consigo también una afirmación programática (como en Horacio I,1, 29-36) de su labor poética «a la sombra tendido, de hiedra y lauro eterno coronado». El poeta, inspirado por la divinidad, reproduce como microcosmo la divina poesía que le dicta «el plectro sabiamente meneado» (cfr. III y XIX, 1-5). Y de hecho todo el libro se esconde detrás de ese programa.

Inevitablemente, la relación entre apartamiento y poesía recuerda el *secessus* de Arias Montano tal como nos lo presenta él mismo en su «Ad vatem Davidem elegiacum carmen» *(Davidis regis... Psalmi,* Amberes, 1574, pág. 23):

[Carmina Davidis]
Libera romanis numeris, pede libera quamvis,
   Mirabar versus pondera ferre sui.
Haec ego ut excipiam melius collata, profani
   Vulgi conspectus et populum fugio.
Abdor et in silvis, nemorosae ac rupis in antro*;
   Scire avido sedes haec mihi amica fuit.
Hic sensi turbis hominum strepituque remotus,
   Quam tua Iessiades carmina dulce sonent.

En Arias Montano, la poesía va ligada al apartamiento. Apartamiento real (La Peña de Aracena), y también tópico (cfr. Bocaccio, *De Genealogía,* XIV,11: «Ob meditationis comodum solitudines incoluere poete»), pero que enmarca unas actitudes poéticas comunes con Fray Luis. Vista desde la última estrofa, «La vida solitaria» tiene como uno de sus temas la oposición entre poesía y vida. Frente a la vida contemporánea «del oro y del cetro» (v.60) —y no son sólo tópicos horacianos— Fray Luis afirma una elección: la de la vida retirada dedicada al estudio y a la divina poesía, la vida en suma del hombre sabio.

Hay que señalar, por último, que el «huerto» donde se supone que transcurre el «apartamiento» de esta oda se acostumbra a identificar con La Flecha, una granja que tenían los agustinos cerca de Salamanca. Es el mismo lugar en el que transcurre el diálogo de *Los Nombres de Cristo.* Sin duda es cierto, pero también se relaciona con un tema literario: el huerto horaciano regalo de Mecenas en el que el venusino se dedicará a «vivir consigo» el resto de su vida: «et mihi vivam / quod superest aevi» *Ep.* I,18,106-7). Es el lugar del apartamiento epicúreo, el λάθε βιώσας (vive secretamente), y es también el *otium* estoico en el que «cum secesseris, non est hoc agendum, ut de te homines loquantur, sed ut ipse tecum loquaris» (Séneca, *Ad Luc.,* LXVIII,6). En ese silencio el sabio se somete a la naturaleza, la base de la ética estoica. El hombre se hace acorde

---

* *Al margen:* Secessus Ariae Montani in rupe Arancenensi.

con la naturaleza y consigo mismo, y ningún «ruido» le afecta. Como dice Séneca: «Tunc ergo te scito esse compositum, cum ad te nullus clamor pertinebit, cum te nulla vox tibi excutiet, non si blandietur, non si minabitur, non si inani sono vana circumstrepet.» *(Ad Luc.,* LVI,14).

I

CANCIÓN DE LA VIDA SOLITARIA *

¡Qué descansada vida
la del que huye el mundanal ruido
y sigue la escondida
senda, por donde han ido
los pocos sabios que en el mundo han sido;   5
    que no le enturbia el pecho
de los soberbios grandes el estado,
ni del dorado techo

---

* Título: los manuscritos de la familia *Jovellanos* traen «Vida retirada». En la *princeps* de Quevedo no lleva título, lo mismo que otras composiciones en esa familia.

[1] Cfr. Boscán «Respuesta de Boscán a Diego de Mendoça», vv. 175-6: «Assí que yo ni quiero ya ni puedo / tratar sino de vida descansada» (ed. Riquer-Comas-Molas, I, pág. 358).

[2] *huye:* transitivo, cfr. XVI,14; *mundanal ruido:* cfr. el pasaje citado de Arias Montano: «turbis hominum *strepituque* remotus»; naturalmente «ruido» puede tener los significados alegóricos que se quiera, cfr. R. Senabre (1978, págs. 19-21).

[3-4] *escondida senda:* cfr. Hor. *Ep.* I,18,101-103: «quid te tibi reddat amicum, / quid pure tranquillet, honos an dulce lucellum / an secretum iter et fallentis semita vitae». Horacio pone ante los ojos del joven Lolio los diversos medios que pueden hacer que «viva consigo», que sea «amigo de sí mismo» y alcance un ánimo tranquilo: frente a la vida de los honores y la riqueza contrapone el camino «apartado» *(secretus)* y la «senda de una vida escondida» *(semita fallentis vitae).* Entiendo que en Fray Luis, «escondida» *(fallentis)* tiene valor proléptico, pues la «senda» lleva a una vida oculta, retirada. Es la vida retirada de sabor estoico-epicúreo a la que se dedicará Horacio en su propia granja según rezan los versos que siguen (104-112). Naturalmente, el pensamiento sincretista de Fray Luis ve en esto una oculta sabiduría cristiana. Interpretaciones en ese sentido pueden encontrarse en Woodward (1954, pág. 22) y R. Senabre (1978, págs. 15-18).

[6-8] Cfr. Hor. *Epod.,* 2,6-7: «forumque vitat et *superba civium / potentiorum* limina».

se admira, fabricado
del sabio Moro, en jaspes sustentado!   10
    No cura si la fama
canta con voz su nombre pregonera,
ni cura si encarama
la lengua lisonjera
lo que condena la verdad sincera.   15
    ¿Qué presta a mi contento,
si soy del vano dedo señalado;
si, en busca deste viento,
ando desalentado,
con ansias vivas, con mortal cuidado?   20
    ¡Oh monte, oh fuente, oh río!
¡Oh secreto seguro, deleitoso!,
    roto casi el navío,

   [8-10] Cfr. Hor. *Od.* II,18,1-5: «Non ebur neque aureum / mea renidet in domo lacunar, / non trabes Hymetiae / premunt columnas ultima recisas / Africa»; y la traducción de Fray Luis: «Aunque de marfil y oro / no está en mi casa el techo jaspeado / con la labor del moro, / ni las vigas de Himetia han sustentado / columnas muy labradas»; Estacio, *Sylv.* I,3,35-36: «Auratasne trabes an Mauros undique postes / an picturata lucentia marmora vena»; el léxico es garcilasiano, como señala Macrí, *Egl.* I,277-78: «¿Dó la coluna que el *dorado techo* / con presunción graciosa *sustenía?*»; y *Son.* XI,3: «de relucientes piedras *fabricadas*».

   [11-12] *pregonera:* es hipérbaton = «voz pregonera»; cfr. Ovidio, *Her.,* XVII,207: «Non ita contemno volucris praeconia famae».

   [16] *presta:* prestar es «ayudar, assistir y contribuir al logro de alguna cosa» *(Dicc. Aut.).*

   [17] Cfr. Hor. IV,32: «quod monstror digito praetereuntium».

   [18] *viento:* es la opinión del vulgo; cfr. Hor. *Ep.* I,0,37: «non ego ventosae plebis suffragisvenor». Horacio considera a la *plebs* como un viento que hoy va en una dirección y mañana en otra (cfr. *Od.* I,1,7 y I,5,11-12: «nescius aurae / fallacis», y Séneca, *Hippolytus,* 488).

   [19] *desalentado:* sin aliento.

   [21] Lázaro Carreter (1984,302) lo pone en relación con Petrarca, *Canz.* LXXXI,37-38: «O poggi, o valli, o fiumi, o selve, o campi, / o testimon de la mia grave vita,» y las imitaciones posteriores como Bernardo Tasso «O fiumi, o rivi, o fonti».

   [22-30] Cfr. tópicos paralelos en Tibulo I,1,43-52 (E. Sarmiento, 1970, 20).

   [22] *secreto:* latinismo, de *secretum,* 'lugar apartado', 'lugar más íntimo de un santuario'; cfr. «Imitación del Petrarca» (v.29): «en un lugar secreto y deleitoso»; si se toma como adjetivo, «seguro» podría tener un significado cercano a XVIII,5.

a vuestro almo reposo
huyo de aqueste mar tempestuoso.   25

Un no rompido sueño,
un día puro, alegre, libre quiero;
no quiero ver el ceño
vanamente severo
de a quien la sangre ensalza, o el dinero.   30

Despiértenme las aves
con su cantar sabroso no aprendido;
no los cuidados graves,
de que es siempre seguido
el que al ajeno arbitrio está atenido.   35

Vivir quiero conmigo;

---

[24] *almo:* cfr. XIII,1.

[26-30] Son los rasgos contrarios de la vida del tirano o del avaro: «sueño» (cfr. XVI,12-13 o V,22), «alegre» (XVI,17), «ceño severo» (V,24); «la sangre» es el linaje (cfr. la nota a XXII,15-18).

[31-32] Cfr. Garcilaso, *Egl.* 2,67-69: «Y las aves sin dueño / con canto no aprendido / hinchen el aire de dulce armonía», que depende de Propercio I,2,14: «et volucres nulla dulcius arte canant» (Lázaro Carreter, 1984, pág. 304).

[36-40] Son ideas de sabiduría estoico-epicúrea; Hor. *Ep.* I,18,107-110: «et mihi vivam / quod superest aevi, si quid superesse volunt di: / ... neu fluitem dubiae spe pendulus horae.». Todos los males para el estoico vienen de confiar en lo que nos es ajeno, «el ajeno arbitrio»[35]. Sólo lo que está en nosotros puede llevarnos a la tranquilidad de ánimo y a la vida feliz: «Id autem unum bonum est, quod numquam defringitur. Is est, inquam, beatus quem nulla res minorem facit; tenet summa, et ne ulli quidem nisi sibi innixus» (Séneca, *Ad luc.*, 92,2). Sólo apoyándose en sí mismo, *sibi innixus*, «viviendo consigo» (cfr. Cicerón, *Cato Maior*, XIV,49: «At illa quanti sunt!... secum esse *secumque*, ut dicitur, *vivere»*). puede el hombre alcanzar el bien (cfr. Rico, 1981, pág. 244). Fray Luis glosa también esta idea en *Los Nombres de Cristo* (pág. 589): «El bien de la segunda (manera de paz), que es vivir concertada y pacíficamente consigo mismo, sin que el miedo nos estremezca, ni la afición nos inflame, ni nos saque de nuestros quicios la alegría vana ni la tristeza, ni menos el dolor nos envilezca y encoja»; y después, apoyándose en cita del Profeta Miqueas, y entreverando saber pagano con verdad cristiana, vuelve (pág. 606): «así de todo aqueste amontonamiento de bien nace aqueste gran bien, que es gozar el hombre de sí y poder vivir consigo mismo, y no tener miedo de entrar en su casa». Es un tema difundido en el siglo XVI, cfr. Aldana, «Epístola a Montano»: «Pienso torcer de la común carrera / ...entrarme en el secreto de mi pecho / y platicar en él mi interior hombre, / dó va, dó está, si vive, o qué está hecho» (ed. E. Rivers, vv. 415-20).

gozar quiero del bien que debo al cielo,
a solas, sin testigo,
libre de amor, de celo,
de odio, de esperanzas, de recelo.   40
Del monte en la ladera,
por mi mano plantado, tengo un huerto,
que con la primavera,
de bella flor cubierto,
ya muestra en esperanza el fruto cierto;   45
y, como codiciosa
por ver y acrecentar su hermosura,
desde la cumbre airosa
una fontana pura
hasta llegar corriendo se apresura;   50
y, luego sosegada,
el paso entre los árboles torciendo,
el suelo, de pasada,
de verdura vistiendo
y con diversas flores va esparciendo.   55

[39-40] Cfr. VIII,35. La misma idea aparece en la «Epístola de don Diego de Mendoça a Boscán», vv. 25-33 (ed. Riquer, I,343): «El que teme y dessea están sugetos / a una misma mudança, a un sentimiento: / d'entrambos son los actos imperfetos. / Entrambos sienten un remordimiento, / maravíllanse entrambos de que quiera, / a entrambos turba un miedo el pensamiento. / Si se duele, si huelga, o si spera, / si teme, todo es uno, pues están / a esperar mal, o bien d'una manera.»; y B. Arias Montano, *Rhetoricorum libri*, Valencia, 1775, pág. 165: «procul omnis amor, odium procul omne, / spesque metusque (recelo), atque omnis opum vesana cupido (celo)». Son los cuatro «afectos» de la ética estoica: ἡδονή ('placer'), λύπη ('dolor' o 'afliccio'); ἐπιθυμία ('deseo') y φόβος ('miedo'), cfr. M. Pohlenz, *La Stoa*, I, Florencia, 1967, págs. 298-299.

[41-45] Cfr. Cicerón, *Cato Maior*, XVIII,59: «Multae etiam istarum arborum mea manu sunt satae.» El placer de cultivar por propia mano es un tópico de la literatura de alabanza de aldea y del apartamiento; cfr. E. Sarmiento (1970, pág. 22) que remite, entre otros textos, a Tíbulo I,1,7-8 y G. A. Davies (1964, pág. 212) que subraya el paralelo entre Virg. *G.* IV,142-143 y vv. 42-45 de Fray Luis.

[45] Hor. III,16,30: «Segetis certa fides meae», 'esperanza cierta de mies propia'.

[46-55] Cfr. expresiones semejantes en *Los Nombres de Cristo* (ed. C. Cuevas, pág. 247): «se conciben las fuentes y los principios de los ríos, y nasciendo de allí y cayendo en los llanos después y torciendo el passo por

El aire el huerto orea
y ofrece mil olores al sentido;
los árboles menea
con un manso ruido,
que del oro y del cetro pone olvido.   60
    Ténganse su tesoro
los que de un falso leño se confían;
no es mío ver el lloro
de los que desconfían,
cuando el cierzo y el ábrego porfían.   65

---

ellos, fertilizan y hermosean las tierras» (citado por R. Senabre, 1978,
pág. 30). Cfr. también Horacio en varias de las descripciones de su granja, *Sat.* II,6,1-3: «Hoc erat in votis: modus agri non ita magnus, / hortus
ubi et tecto vicinus iugis aquae fons / et paulum silvae super his foret»;
Od. III,16,29-30: «Purae rivus aquae, silvaque iugerum / paucorum...».
Hay también ecos de Garcilaso, *Egl.* I,239-224: «*corrientes aguas, puras,*
cristalinas; / árboles que os estáis mirando en ellas; / *verde prado* de fres-
ca sombra lleno; / yedra que por los árboles caminas, / *torciendo el paso*
por su verde seno.»; *Egl.* 2,476: «a la *pura fontana* fue corriendo»; *Son.*
25,4: «y *esparziste* por tierra fruta y *flores*»; *Can.* 3,7-9: «do siempre primavera / parece en la verdura / sembrada de las flores;»

56-60 Cfr. Petrarca, *Trionfo d'Amore,* IV,103-105: «Nel mezzo è un om-
broso e verde colle / con si soavi odor, con si dolci acque / ch'ogni mas-
chio pensier dell'alma tolle»;   *Exposición del Cantar de los Cantares*
(IV,16): «¡Sus! ¡Vuela, cierzo y ven tú ábrego! Orea este mi huerto y haz
que se esparzan sus olores» y comenta (F. García, pág. 132): «Venga el
ábrego, y sople en este huerto mío con un airecico templado y suave, para
que con el calor se despierte el olor, y con el movimiento le lleve y de-
rrame por mil partes, por manera que gocen todos de su suavidad y deleite.»

59 *con un manso ruido:* cfr. Garcilaso, *Can.* 3,1: «con un manso rüido»
y *Egl.* 2,65.

61 Cfr. Tibulo I,1,1: «Divitias alius fulvo sibi congerat auro».

62-65 Los peligros de la navegación son un tópico clásico, cfr. Hor.
I,3,10-11 (y el comentario de Nisbet-Hubbard): «qui *fragilem* truci / com-
misit pelago *ratem* / primus, nec timuit praecipitem *Africum* / *decer-
tantem Aquilonibus*». El *Africus* equivale al ábrego y el *Aquilo* al cierzo
o viento del norte. Véase también III,29,57-9: «*Non est meum,* si mugiat
Africis / malus procellis, ad miseras preces / decurrere (el lloro) et votis
pacisci.»

62 *leño:* 'navío' como *lignum;* es cultismo ya arcaico, cfr. E. Bustos,
págs. 135 y ss.

La combatida antena
cruje, y en ciega noche el claro día
se torna; al cielo suena
confusa vocería,
y la mar enriquecen a porfía.   70
    A mí una pobrecilla
mesa, de amable paz bien abastada,
me baste; y la vajilla,
de fino oro labrada,
sea de quien la mar no teme airada.   75
    Y mientras miserable-
mente se están los otros abrasando
con sed insaciable
del peligroso mando,
tendido yo a la sombra esté cantando;   80
    a la sombra tendido,
de hiedra y lauro eterno coronado,

[66-70] Vuelve sobre los mismos versos de Horacio III,57-61: «si mugiat Africis / malus (la...antena) procellis, ad miseras preces / decurrere et votis pacisci (al cielo... confusa vocería) / ne... addant avaro divitias mari (la mar enriquecen a porfía)»; véase también Virg. *Aen.* I,87-89: «Insequitur clamorque virum stridorque rudentum. / Eripiunt subito nubes caelumque diemque / Teucrorum ex oculis; ponto nox incubat atra»; y V,451: «it clamor caelo»; cfr. también XIV, 53-54.

[71-75] Hor. III,29,14-16: «Mundaeque parvo sub lare pauperum / cenae sine aulaeis et ostro / sollicitam explicuere frontem»; Tibulo I,1,37: «Adsitis, divi, neu vos e paupere mensa / dona nec e puris spernite fictilibus./ ... Hoc mihi contingat. Sit dives iure, furorem / qui maris et tristes ferre potest pluvias».

[73-74] *la vajilla:* Hor. *Sat.* II,2,4: «discite, non inter lances mensasque nitentis»; y *e contrario* cfr. los «puris... fictilibus» de Tibulo I,1,38.

[75] *la mar no teme airada:* cfr. *Epod.* 2,6: «neque horret iratum mare» y *Od.* I,3,11: «nec timuit praecipitem Africum».

[76-77] Tmesis. Imita un procedimiento frecuente en griego, y, como helenismo, también en poesía latina. Se trata de la división de una palabra compuesta sea dentro del verso, sea al final formando encabalgamiento. Probablemente el modelo más directo es Horacio (cfr. *Od.* I,25,11-12). Lo emplea también Fray Luis en la traducción de la oda I,14 (Cfr. A. Quilis, «Los encabalgamientos en '-mente'»).

[81] *A la sombra tendido:* cfr. Garcilaso, *Egl.* 2,51-52: «A la sombra holgando / de un alto pino».

[82-85] Cfr. Hor. *Od.* I,1,29-30: «Me doctarum hederae praemia frontium / dis miscent superis.» Entiendo que «el plectro sabiamente meneado»

puesto el atento oído
al son dulce, acordado,
del plectro sabiamente meneado.   85

II

Esta oda se escribió hacia 1570 (y no 1571, cfr. Alarcos 1977-78,7), cuando Portocarrero acababa de ocupar el
cargo de regente de la Audiencia de Galicia. El poema
está construido sobre el «Himno de la virtud» de Aristóteles que trae Diógenes Laercio. Henri Etienne lo publicó
en 1570 con traducción latina.

El tema es el elogio del noble amigo según los principios del estoicismo. En latín renacentista es frecuente este
tipo de composiciones. Véase por ejemplo la oda alcaica de
Laevinius Torrentius al obispo Galeazzo Florimonte reco-
gida en el *Odarum ad amicos liber (Poemata,* Amberes, 1579, págs. 238-39). Se trata de un elogio de las virtudes y la actividad pastoral del obispo de Sessa (Campa-
nia) con tópicos cercanos a los de Fray Luis:

Ad Galeatium Florimontium Episcopum Suessanum

   Et recta nosti et moribus exprimis,
Nec lingua menti discrepat, ac piae
  par vita doctrinae, tuisque
    Exsequeris studiis honestum;

Teque inde nullae demoveant minae,
Non dona regum, non metus hostium,
  Non mille si tormenta tauro
    Sicanii addiderint tyranni.

---

no es el de Fray Luis, sino el de Dios que inspira, con el platónico furor,
los versos del poeta, cfr. III,21-25 y las notas al *Votum.*

Cui namque rebus carior omnibus
Est alma virtus, opprobium fugit;
Non Nestoris tot saecla laesi
Accipiat pretium pudoris.

O te beatum, tam bene qui sapis
Suessane, o ingens pontificum decus,
Ducente que te cumque quaeret,
Haud dubiam inveniet salutem!

Quando esset aetas apta laboribus,
Quis temperandis unquam operosior
In rebus? At transacta postquam
Tempora te repetunt quieti.

Non aula, non iam Roma tenet, sacrae
Aut vota tardant improba purpurae,
Non parva quem gessisse honores,
Maxima sed meruisse laus est.

Utcumque vulgi sensus abhorreat,
Quod raro honestum cernit ab utili,
Sed rara te vulgo removit,
Et docuit meliora, virtus.

Ergo beato vivis in otio,
Qua laeta pulchris Suessa iacet iugis,
Si corpore imbecillus, acrem
Ast animi retinens vigorem.

Sed transeuntem cetera, te tamen
Hoc urget unum, ut doctior in dies
Et sanctior, quae recta nosti,
Rite tuos doceas colonos,

Pastor quieti sollicitus gregis,
Cui tuta curis omnia sunt tuis,
Dum suggeris praecepta Divum,
Ambrosio meliora succo.

II

A DON PEDRO PORTOCARRERO

Virtud, hija del cielo,
la más ilustre empresa de la vida,
en el escuro suelo
luz tarde conocida,
senda que guía al bien, poco seguida;   5
tú dende la hoguera
al cielo levantaste al fuerte Alcides,
tú en la más alta esfera
con las estrellas mides
al Cid, clara victoria de mil lides.   10

---

[1] Cfr. Aristóteles, «A Hermas», v.1: Ἀρετὰ πολύμοχθε γένει βροτείῳ 'virtud fruto de duros esfuerzos para los nacidos mortales'. Virtud se entiende aquí en el mismo sentido en que aparece en las *Tusculanae* o el *De finibus* de Cicerón, o en el que piensa Horacio, o sea, la virtud como búsqueda interior o rechazo de las falsas opiniones y pasiones. Y para Fray Luis, como para Horacio, la búsqueda de la virtud es equivalente a la búsqueda de una filosofía ética y en última instancia de Dios.

[2] *Ibid.*, 2: θήραμα κάλ ιστον βισ. θήραμα en la traducción de Etienne *honestissimum vitae humanae incitamentum.*

[6] *ende:* desde; *hoguera;* 'h' aspirada. Alcides ligado a los Dióscuros como modelos de virtud son ejemplos manidos, cfr. Nisbet-Hubbard a Horacio *Od.* I,12,25: «Alciden puerosque Ledae». En este caso importa la aparición de este ejemplo en el himno de Aristóteles (vv. 9-10), que en la traducción de Etienne reza: «Nam in gratiam tuam Iovis Hercules et Laedae filii multa perpessi sunt», y en Horacio III,3,9-10: «Hac arte Pollux et vagus Hercules / enisus arces attigit igneas».

[10] *al Cid:* Vega señala bien el juego fónico entre «Alcides» y «al Cid». Para los estoicos existe un parentesco entre dioses y hombres hasta el punto que el hombre sabio y virtuoso es para ellos como un dios. Bajo ese esquema podía aceptar la divinización de los emperadores (cfr. J. C. García Borrón, *Séneca y los estoicos,* Barcelona, 1956, pág. 120). En ese sentido hay que entender la divinización o mitificación de la figura del Cid, ganador de múltiples lides desde el *Carmen Campidoctoris,* y más abajo la alusión al Gran Capitán.

Por ti el paso desvía
de la profunda noche, y resplandece
muy más que el claro día
de Leda el parto, y crece
el Córdoba a las nubes, y florece;   15
y por su senda agora
traspasa luengo espacio con ligero
pie y ala voladora
el gran Portocarrero,
osado de ocupar el bien primero.   20

---

[14] *de Leda el parto:* cfr. v.6.

[15] *el Córdoba:* el Gran Capitán, Gonzalo Fernández de Córdoba. De él, y de las guerras de Italia quizá existieran también romances como los del ciclo cidiano. Por lo menos Martín Ivarra, en el *Epithalamion Ignigi Mendozae* (Barcelona, 1514), vv. 83-84, cuenta que se cantaron a la guitarra canciones (romances) sobre la caída de Granada y sobre las guerras de Nápoles y el Gran Capitán. Naturalmente la figura era harto conocida, pero por amor a la simetría entre el Cid y el Córdoba creo que habría que pensar en una difusión folclórica de este último personaje.

[16-25] Es doctrina estoica sobre la que se puede citar a Giovanni Della Casa, pero prefiero hacer referencia a un pasaje de Séneca, *Ad Luc.* XCII,30-31 (el alma igual a los dioses se puede levantar a su altura): «...animus cui in quantum vult licet porrigi, in hoc a natura formatus est, ut paria dis vellet». Por eso Portocarrero es igual a Hércules. «Et si utatur suis viribus ac se in spatium suum extendat, non aliena via ad summa nititur ('intenta subir a lo más alto', 'aspira a lo alto de la cuesta', 'osado de ocupar el bien primero'). Magnus erat labor ire in caelum; redit. Cum hoc iter ('su senda') nactus est, vadit audaciter ('osado') contemptor omnium nec ad pecuniam respicit aurumque ('se descuesta / hollando sobre el oro')». No pretendo que las coincidencias sean literales, sino coincidencias temáticas de una doctrina conocida.

[16] *Y por su senda:* la familia *Jovellanos* trae «por tu», referido a la virtud, pero la lectura «su» de *Quevedo* es correcta porque se refiere a la senda por donde han ido los Dióscuros y el Gran Capitán. Además, estilísticamente, aunque no sea una razón de peso, es preferible la variación de «su» frente a tantos «tu... tú... ti».

[17-18] *traspasa luengo espacio:* pasa por encima de un largo espacio; *ala voladora:* la expresión es ambigua. Quizá recuerde, como señala Macrí, algún verso horaciano como «virtus...spernit humum fugiente penna» (III,2,24), o quizá la imagen de Mercurio de pies alados.

[20] *bien primero:* equivale al clásico *summum bonum*, cfr. Séneca, *De Vit.*, IV,2: «Summum bonum est animus fortuita despiciens virtute laetus aut invicta vis animi» y *Ad Luc.*, CXXIV,23: «(bonum est) Animus scilicet emendatus et purus, aemulator Dei, super humana se extollens, nihil extra se sui ponens».

Del vulgo se descuesta,
hollando sobre el oro; firme aspira
a lo alto de la cuesta;
ni violencia de ira,
ni blando y dulce engaño le retira.   25
      Ni mueve más ligera,
ni más igual divide por derecha
el aire, y fiel carrera,
o la traciana flecha
o la bola tudesca un fuego hecha.   30
      En pueblo inculto y duro
induce poderoso igual costumbre
y, do se muestra escuro
el cielo, enciende lumbre,
valiente a ilustrar más alta cumbre.   35
      Dichosos los que baña
el Miño, los que el mar monstruoso cierra,
dende la fiel montaña
hasta el fin de la tierra,
los que desprecia de Eume la alta sierra.   40

---

[21] *del vulgo se descuesta:* cfr. Horacio III,2,21-24: «Virtus... coetusque volgaris et udam / spernit humum».

[22] *hollando:* cfr. Séneca, *Ad Luc.* XXXI,1: «sequere illum impetum animi, quo... *calcatis* popularibus bonis ibas».

[26-30] El símil expresa la rectitud y firmeza de Portocarrero. Es la *constantia (aparallaxía),* una de las virtudes fundamentales del sabio estoico.

[27-28] *derecha:* hipérbaton, 'Ni más igual divide el aire por derecha y fiel carrera'; *divide el aire:* cfr. Virg., *G.* I,106: «secat aethera».

[29] *traciana:* los tracios eran prototipo de guerreros belicosos, cfr. Hor. II,16,5.

[30] *bola tudesca:* la bala del cañón. Se consideraba que los alemanes eran inventores de la artillería.

[32] *igual costumbre: mos aequus.*

[37] *monstruoso:* el Océano Atlántico.

[38] *fiel montaña:* el monte Auseba donde está Covadonga y donde se inició la mítica gesta de don Pelayo, 'fiel' al cristianismo.

[39] *fin de la tierra:* Cabo de Finisterre.

[40] *desprecia:* latinismo semántico de *despicere* 'mirar desde lo alto' (Lapesa, pág. 117); *Eume:* se refiere a la sierra de Eume, donde nace el río Eume, al norte de la provincia de La Coruña.

III

Francisco de Salinas, ciego desde la infancia, fue catedrático de música de la Universidad de Salamanca. Desde 1567 estuvo en Italia donde tuvo relación con Palestrina (sobre este músico cfr. L. Spitzer, *L'Armonia,* págs. 168-169). En 1577 publicó un *De musica libri septem* (cfr. Menéndez y Pelayo, *Historia de las ideas estéticas,* II, páginas 489-94). Se ha dicho que la oda pudo haberse escrito a raíz de la publicación de ese libro. Me parece poco probable. A juzgar por los vv. 41-45, la penúltima estrofa, que funciona como un 'envío' a los amigos, se trata de una invitación que pienso que debió ser real.

Fray Luis nos presenta una serie de divulgados conceptos de origen pitagórico y platónico. Parte de la afinidad entre la armonía musical y la armonía del alma. La armonía de la música despierta la armonía (perdida) del alma y le hace recordar su primitivo origen. A su vez, los diversos tipos de música (según Boecio), la instrumental (la que llegan a producir los hombres), la mundana (la que producen las esferas celestes al girar) y la divina (la perfecta armonía del alma cósmica, o sea de Dios), mantienen una serie de afinidades a través de las cuales se realiza el proceso de armonización que nos describe Fray Luis. La taxonomía no es fija, y, por ejemplo, Francisco de Salinas en el *De música* (como san Agustín) reduce estos tres tipos a dos: una música humana y otra divina. El hombre, eternamente destemplado desde Adán y Eva, recobra algo de su armonía, de la templanza de que disfrutábamos en el Paraíso, a través de la música que lo va elevando con sus acordes y simpatías, para percibir algo de su origen y de su creador. O dicho en palabras de Marsilio Ficino en su comentario al Ion *(Opera,* Basilea, 1576, f. 1282):

> Redire quippe ad unum animus nequit, nisi aut ipse unum efficiatur. Multa vero effectus, est lapsus in corpus, in operationes varias distributus, respiciensque ad singula. Ex quo

partes eius superiores pene obdormiunt, inferiores aliis dominantur, illae corpore, hae pertubatione afficiuntur, totus vero animus discordia et inconcinnitate repletur. Poetico ergo furore in primis opus est, qui per musicos tonos quae torpent suscitet, per harmoniacam suavitatem quae turbantur mulcear, per diversorum denique consonantiam dissonantem pellat discordiam, variasque partes animi temperet.

<h1 style="text-align:center">III</h1>

A FRANCISCO DE SALINAS

El aire se serena
y viste de hermosura y luz no usada,
Salinas, cuando suena
la música estremada,
por vuestra sabia mano gobernada.   5
    A cuyo son divino
el alma, que en olvido está sumida,
torna a cobrar el tino
y memoria perdida
de su origen primera esclarecida.   10

---

[1] Cfr. Petrarca, *Canz.* CXCVI,1: «L'aura serena che fra verdi fronde». *Aire:* cubre el campo semántico de *aether* 'aire' y también 'cielo' (cfr. v.16), y significa 'el cielo se serena' enlazando con las ideas en torno a la 'Noche estrellada' (Oda VIII); *serena:* cubre el campo de significados de *temperat,* como señala L. Spitzer *(L'Armonia,* 146), o sea se templa y armoniza como inmensa cítara que es el cielo (cfr. v.22).

[2] Cfr. Virgilio, *Aen.* VI,640: «Largior hic campos aether et lumine vestit» y *Exposición del Libro de Job,* 41,9 (1273): «Cuando amanece, la parte del cielo que se viste de luz»; *luz no usada:* vierte la expresión *insueta lux* o sea 'no acostumbrada' y por ello sorprendente, cfr. Prudencio, *Peristephanon* X,955: «donare caecis lucis insuetae diem», y otras referencias en F. Rico, *Vida u Obra de Petrarca,* Chapel Hill, 1975,20.

[10] *origen:* es femenino como en latín (Lapesa, 125); cfr. *Nombres de Cristo,* «Príncipe de la Paz» (586): «(la razón y el alma) como en una cierta manera, se recuerda de su primer origen».

Y, como se conoce,
en suerte y pensamiento se mejora;
el oro desconoce
que el vulgo vil adora,
la belleza caduca engañadora.   15
    Traspasa el aire todo
hasta llegar a la más alta esfera
y oye allí otro modo
de no perecedera
música, que es la fuente y la primera,   20
    Ve cómo el gran Maestro,
aquesta inmensa cítara aplicado,

[11-15] *se conoce:* toma conciencia de sí y se reconoce a través de la anámnesis platónica. La idea de esta estrofa se puede glosar con las mismas palabras de Fray Luis, *Exposición de Job,* 4,12 (885) sobre el retiro y silencio de la noche que cumplen la misma función que la música: «y como no hay quien llame a la puerta de los sentidos, sosiega el alma retirada en sí misma; y desembarazada de las cosas de fuera, *éntrase dentro de sí,* y puesta allí, conversa solamente consigo y *reconócese* ('se conoce'). Y como es su origen el cielo, avecínase a las cosas dél y júntase con los que en él moran; los cuales influyen luego en ella sus bienes como en sujeto dispuesto, por cuyo medio *se adelanta y mejora* ('en suerte mejora'); y subiendo sobre sí misma, desprecia lo que estimaba de día y huella sobre lo que se precia en el suelo, al cual con ello todo ve sepultado en tinieblas;» y *Nombres de Cristo* (pág. 586): «así lo principal y lo que es señor en el alma, que es la razón, se levanta y recobra... y como alentada con esta vista celestial y hermosa, concibe pensamientos altos y dignos de sí...» Según Platón sólo la parte racional del alma es inmortal y surge del alma cósmica. Las otras dos partes son perecederas. Por eso «se mejora» justamente en «pensamiento». Y sigue: «y al fin pone todo lo que es vil y bajo en su parte y huella sobre ello. Y así, puesta ella en su trono como emperatriz, y reducidas a sus lugares todas las demás partes del alma, queda todo el hombre ordenado y pacífico.» Así, entiendo que el alma se olvida, «desconoce», las partes irascible y concupiscente, que se esconden tras «lo que el vulgo vil adora».

[16-20] *traspasa el aire todo:* 'aire', 'éter' o 'cielo' (cfr. v.1) tiene aquí un significado topográfico; cfr. una expresión similar en Arias Montano referida al profeta Abdías *(Poemata,* pág. 101): «Iam mente celsum transvolat et polum». Sobre el sentido de esta estrofa véase F. Rico, 1970, página 184.

[21-25] La música de las esferas es gobernada por Dios. Ese ritmo o son sagrado es producto de las armonías numéricas que sustentan al mundo. El símbolo del mundo como cítara es de origen órfico. Dios como músico celeste se identifica con Apolo, el gran maestro de la música, y su lira o

con movimiento diestro
produce el son sagrado,
con que este eterno templo es sustentado.   25
  Y, como está compuesta
de números concordes, luego envía
consonante respuesta;
y entre ambos a porfía
se mezcla una dulcísima armonía.   30
  Aquí la alma navega
por un mar de dulzura y finalmente
en él ansí se anega,
que ningún accidente
estraño y peregrino oye y siente.   35
  ¡Oh desmayo dichoso!
¡oh muerte que das vida! ¡oh dulce olvido!

---

cítara se comparaba con los movimientos armónicos de las esferas. C. Mos-
quera de Figueroa, discípulo e imitador de Fray Luis, repite este símbolo
y nos sirve de glosa en el «Soneto al abad Antonio de Maluenda» (ed. G.
Díaz Plaja, I,160): «Ocho cielos y el móvil representa / tu lira de esa
mano gobernada / y el alma que la oye aprisionada / desamparar su cárcel dura intenta.» En este caso el mundo es la lira que toca el músico Maluenda que resulta así divinizado (cfr. A. Chastel, *Marsile Ficin et l'Art*,
Ginebra, 1975, pág. 55, n. 61). La imagen del mundo como 'eterno templo' es también un símbolo difundido. Aparece en Macrobio, *Somnium
Scip.* I,14: «Bene autem universus mundus Dei templum vocatur», y está
en la base de la arquitectura renacentista, cfr. S. Sebastián, «El templo»
en *Arte y Humanismo*, Madrid, 1978, págs. 22-50.
  Esta estrofa falta en Quevedo y en manuscritos de esa familia. No creo
que Fray Luis la quitara en una última redacción por contener imágenes
excesivamente paganas. De hecho es una idea que utiliza Orígenes y otros
padres de la Iglesia (cfr. L. Spitzer, *L'Armonia*, págs. 26-28) y el mismo
Fray Luis no teme utilizar en su poesía conceptos platónicos sin mayor
dificultad. Si eliminó esta estrofa sería por razones estéticas: es demasiado culta y de manual para el tono del resto de la oda. Fray Luis tiende a
evitar conceptos abstractos y símbolos cultos expuestos claramente como
en esta estrofa. No es que deje de utilizarlos, pero procura enmascararlos
en un tono de llaneza cotidiana en el que se cifra buena parte de su éxito.
Pero puede haber una explicación mecánica que me satisface más. La estrofa empieza por 'Ve como' y la estrofa siguiente empieza por 'Y como'.
Un copista fácilmente puede dar un salto de uno a otro comienzo practicando lo que se llama una *omissio ex homoioteleuton*.
  [33] *anega:* se ahoga.
  [35] *Y* equivale a «o», lo mismo que en latín cristiano (*et=aut [vel]*).

¡durase en tu reposo
sin ser restituido
jamás aqueste bajo y vil sentido!   40
    A este bien os llamo,
gloria del apolíneo sacro coro,
amigos (a quien amo
sobre todo tesoro),
que todo lo visible es triste lloro.   45
    ¡Oh, suene de continuo,
Salinas, vuestro son en mis oídos,
por quien al bien divino
despiertan los sentidos,
quedando a lo demás adormecidos!   50

IV

Esta composición se escribió para el nacimiento de doña
Tomasina de Borja (11-1-1569), hija del marqués de Alcañices y de doña Elvira Enríquez. Conservamos la carta (pu-
blicada por Llobera) en que la tía de la niña da la noticia
a san Francisco de Borja. Es una carta llena de vida en la
que nos cuenta detalles menudos, como que la niña nació
a las «onze de la noche» y que la madre sufrió de «grandes
calenturas y avrírsele el pecho». Un parto en el siglo XVI
era algo espeluznante. La familia estaba emparentada con
la realeza. Tenía su capilla sepulcral en el convento de San
Agustín de Salamanca y naturalmente existía una relación
con la orden a la que pertenece Fray Luis. El poema parece
de encargo y se puede fechar con seguridad en 1569.

40 Es frecuente la fusión de 'a aqueste' (cfr. v.22) en 'aqueste'.

42 *gloria del apolíneo sacro coro:* el coro de Apolo son las Musas a las
que cultiva el grupo de amigos de Fray Luis; cfr. expresiones similares en
M. Marullo, IV,6,9: «sed sacri medius chori / Musarum», y Z. Orth (referido a Melanchthon): «Summus Apollinei dux decusque chori», citado
por G. Ellinger, *Geschichte der neulateinischen Literatur Deutschlands
im sechzehnten Jahrhundert*, II, Berlín, 1929, 285.

43 *por quien:* el antecedente es 'vuestro son'.

El género al que pertenece, como señaló F. Rico, es el del *genethliacon* clásico. Es un género que se difunde con la poesía neolatina a imitación de los poemas de Estacio (*Silv.* II,7) y de Ausonio (*Epist.*, 21). Los poetas renacentistas los enviaban para el nacimiento de algún hijo o simplemente para celebrar el cumpleaños de un amigo o de algún personaje. En España podemos citar varios ejemplos: un *genethliacon* de Juan Petreyo del que después hablaremos, un «In Garsiae Lassi laudem genethliacon» de Francisco Pacheco (en Fernando de Herrera, *Anotaciones,* Sevilla, 1580, págs. 22-30), además de dos composiciones relacionadas: el «De die natali» de Hernán Ruiz de Villegas (*Opera,* págs. 208-211) y el «De suo natali» de Diego Salvador de Murga *(Poetica,* Salamanca, 1558, ff. 83-84v).

El contenido del *genethliacon* se centra siempre en un vaticinio de las futuras virtudes y éxitos del sujeto según las leyes del determinismo zodiacal. Véase por ejemplo el siguiente poema de Jerónimo Fracastorio en el primer cumpleaños del príncipe Felipe *(Carmina Illustrium* II, f.41ᵛ):

Genethliacon
Sacrorum si plena Deo sunt pectora vatum,
 Si norunt triplices fata futura Deae,
Fortunate infans, verus tibi gloria vates,
 Grandia concordes concinuere Deae.
Ecce tuo felix nasci novus annus ab ortu
 Incipit, atque omen nomine habere tuo.
Cresce cito, magnique patris mirarier acta
 Incipe et invicti Caesaris arma sequi.
Tempus erit, tibi cum partis iam mille tropaeis
 Et fessi rebus compositis Latii,
Barbaricis captis opibus, ducibusque subactis
 Multa tibi circum tempora laurus eat.
Tum laeta ante tuum stabit victoria templum,
 Claudet et aerata limina ahena sera.

En el largo *genethliacon* que Juan Petreyo *(Magdalenae,* ff. 39 y ss.) escribe para Felipe II, encontramos ampliado el determinismo y la influencia de las estrellas de una forma similar a la de Fray Luis. Este rasgo no aparece en ninguno de los modelos de la Antigüedad. Júpiter reúne a los dioses, y éstos, uno a uno, le van concediendo sus dones: «haec ubi concordi sancivit curia coetu» (f. 43ᵛ), Fray Luis dirá «con voluntad concorde» (v. 22). Primero le regala el mismo Júpiter, después el viejo Saturno que aparta los elementos negativos de su signo, entre ellos el «livor edax atraque tumens vecordia bile,» (f. 40ᵛ), (cfr. «el envidioso viejo mal pagado / torció el paso y la cara»). Después siguen Marte, Apolo, Venus y Diana que lo adornan con sus correspondientes gracias. A este esquema Fray Luis superpone el tono de las hiperbólicas alabanzas de la amada petrarquista como corresponde a la noble dama que era doña Tomasina. El resultado es un poema poco trabajado e ingenuo pero con cierta gracia.

IV

CANCIÓN AL NACIMIENTO DE LA HIJA
DEL MARQUÉS DE ALCAÑICES

> Inspira nuevo canto,
> Calíope, en mi pecho aqueste día,
> que de los Borjas canto,
> y Enríquez, la alegría
> del rico don que el cielo les invía.   5
>   Hermoso sol luciente,
> que el día das y llevas, rodeado
> de luz resplandeciente
> más de lo acostumbrado,

---

¹ *Calíope:* la novena musa, madre de Orfeo. Parafrasea a Horacio 3,4,1-2: «Descende caelo et dic age tibia / regina longum Calliope melos.».

⁶⁻⁷ Cfr. Horacio, *Carmen Saeculare*, 9-10: «Alme Sol, curru nitido diem qui / promis et celas.»

⁶⁻¹⁰ La amada como sol y como fuego es una vieja imagen especialmente querida por el petrarquismo. La amada como 'traslado' aparece en Vadillo *(Flores de baria poesía,* ed. M. Peña, pág. 352): «¡O de rara virtud y beldad rara, / nuevo exemplo en el mundo y fiel traslado / de quanto encubre el cielo!»

sal y verás nacido tu traslado;   10
    o, si te place agora
en la región contraria hacer manida,
detente allá en buen hora,
que con la luz nacida
podrá ser nuestra esfera esclarecida.   15
    Alma divina, en velo
de femeniles miembros encerrada,
cuando veniste al suelo,
robaste de pasada
la celestial riquísima morada.   20
    Diéronte bien sin cuento
con voluntad concorde y amorosa
quien rige el movimiento
sexto con la diosa,
de la tercera rueda poderosa.   25
    De tu belleza rara
el envidioso viejo mal pagado
torció el paso y la cara,
y el fiero Marte airado
el camino dejó desocupado.   30

---

[10] Macrí corrige «Sal ya: verás». Prefiero respetar la lectura de la *princeps*.

[16-20] Según la psicología platónica y neoplatónica el alma desciende por las esferas hasta encarnarse en el cuerpo del hombre; cfr. el Soneto 5 de Gregorio Silvestre, vv.1-2: «Del cielo descendió vuestra figura / o sólo para el cielo fue criada» en B. Gicovate, ed., *Garcilaso y su escuela poética*, Madrid, 1983, pág. 262.

[19-20] La idea de que la amada 'roba' sus encantos al cielo es otro concepto petrarquista; cfr. Camões: «Tornai à bela Vénus a beleza / à Minerva o saber o engenho e a arte; / e a pureza à castíssima Diana» *(Lírica Completa,* ed. M. L. Saraiva, II, Vila da Maia, 1980,23).

[16] *en velo:* cfr. Garcilaso, *Egl.,* 2,1777: «que 'l mortal velo y manto el alma cubren».

[22] *con voluntad concorde:* cfr. la introd. a esta oda. Como señala Macrí recuerda también una expresión de Virgilio, *Egl.* IV.47: «concordes stabili fatorum numine Parcae».

[24-25] Jupiter y Venus.

[26] Cfr. 'beldad rara' en el texto antes citado de Vadillo.

[27] *envidioso viejo:* Saturno.

[29] Cfr. Garcilaso, *Can.* V,13: «el fiero Marte ayrado».

Y el rojo y crespo Apolo,
que tus pasos guiando descendía
contigo al bajo polo,
la cítara hería
y con divino canto ansí decía: 35
    «Deciende en punto bueno,
espíritu real, al cuerpo hermoso,
que en el ilustre seno
te espera, deseoso
por dar a tu valor digno reposo.   40
    Él te dará la gloria
que en el terreno cerco es más tenida,
de agüelos larga historia,
por quien la no hundida
Nave, por quien la España fue regida.   45
    Tú dale en cambio desto
de los eternos bienes la nobleza,
deseo alto, honesto,
generosa grandeza,
claro saber, fe llena de pureza.   50
    En tu rostro se vean
de su beldad sin par vivas señales;
los tus dos ojos sean
dos luces inmortales,
que guíen al sumo bien a los mortales.   55

---

³¹ *crespo Apolo:* no es un epíteto clásico del dios (como *intonsus* o *crinitus*) pero aparece en poesía neolatina como en G. A. Campano: «Marsilii citharam *crispus si* tentet Apollo» *(Opera,* Venecia, f.48, cit. en A. Chastel, *Marsile Ficin et l'Art,* Ginebra, 1975, pág. 48).

³² Apolo acompaña el alma de Tomasina porque es el dios de la adivinación, y es él a quien corresponde recitar el vaticinio que se dirige al alma separada del cuerpo.

⁴³ *agüelos:* por la rama Borja hubo pontífices como Calisto III y Alejandro VI, por la rama Enríquez el rey Fernando el Católico.

⁴⁴⁻⁴⁵ *la no hundida nave:* hundida lleva h aspirada. Se refiere a la nave de San Pedro, la Iglesia.

⁴⁶⁻⁵⁰ Frente a la nobleza se levanta la verdadera virtud interior, cfr. la anotación a XXII,15-16.

⁵⁴⁻⁵⁵ el concepto de que la mirada de la dama eleva y conduce al amante a los cielos es también petrarquista, cfr. F. Pacheco: «sic est, sic habet, o beati ocelli, / sancto pectora concitatis oestro / divinis amoribus mo-

El cuerpo delicado,
como cristal lucido y transparente,
tu gracia y bien sagrado,
tu luz, tu continente,
a sus dichosos siglos represente.   60
    La soberana agüela,
dechado de virtud y hermosura,
la tía, de quien vuela
la fama, en quien la dura
muerte mostró lo poco que el bien dura,   65
    con todas cuantas precio
de gracia y de belleza hayan tenido,
serán por ti en desprecio,
y puestas en olvido,
cual hace la verdad con lo fingido.   70
    ¡Ay tristes! ¡ay dichosos
los ojos que te vieren! huyan luego,
si fueren poderosos,

---

vetis» (Ms. Ac. Hist. cit., f. 84). Cfr. mi «Humanismo y Petarquismo» en *Nebrija y la Introducción del Renacimiento en España. Actas de la III Academia Literaria Renacentista,* Salamanca, 1983, pág. 154.

56-57 Cfr. F. Pacheco: «Redde ... crystallo pectus honestum» *(ibíd.,* f. 79).

60 *dichosos siglos:* desea que todas esas gracias nos presenten de nuevo los 'Siglos de Oro', la edad de Saturno, de la que gozaron los antepasados de sus 'agüelos' y de ella cuando se encarne como mortal. La dama petrarquista es siempre un Paraíso en la tierra; cfr. también el *genethliacon* de A. Rey de Artieda, *Al nacimiento del Illustrísimo Conde de Ledesma:* «y en virtudes heroycas sea tan raro, ... que los dorados siglos resuscite» *(Discursos, epístolas y epigramas de Artemidoro,* Barcelona, 1955, página 97).

62 *dechado de virtud y hermosura:* 'dechado' es lo que podríamos llamar un latinismo fónico. Semánticamente, 'dechado' ('modelo', 'ejemplo') es cercano a *decus* ('gloria', 'honor', 'esplendor'), pero no recubre exactamente el significado latino. Sin embargo lo que sí recubre es su forma y su uso, calcando construcciones como Séneca, *Oed.,* 250: «O sereni maximum mundi decus!» o J. Petreyo, *Magdalena,* f. 45: «rarum formae decus» que resulta especialmente cercano a XXII,75: «dechado de bien raro».

63 *la tía:* se refiere a Isabel de Borja, la hija mayor de san Francisco de Borja en la que el santo obró un milagro y predijo su temprana muerte.

71-75 Cfr. Horacio, *Od.* I,5,12-13, que en la traducción de Fray Luis reza: «Es triste y sin ventura / en cuyos ojos luces no probada». Es también un concepto platónico y petrarquista: el amor entra por los ojos y a través de ellos se difunde el fuego fatal en el cuerpo.

antes que prenda el fuego,
contra quien no valdrá ni oro ni ruego.   75
    Ilustre y tierna planta,
dulce gozo de tronco generoso,
creciendo te levanta
a estado el más dichoso
de cuantos dio ya el cielo venturoso.»   80

V

Felipe Ruiz de la Torre y Mota es apenas un desconocido para nosotros. Sabemos que varios monjes agustinos lle-
vaban ese apellido. Y es probable que fuera monje agustino porque Fray Luis, en carta a Arias Montano de 1570 (F.
García, pág. 1372) nos dice: «Felipe Ruiz se ha ido a vivir
con Alvaro de Lugo. Vivo solo, pero él vive contento y vive
de veras, y ansí paso.» Bell sugiere que podría tener algún
parentesco con Fray Luis (págs. 149-151). Sabemos también que era humanista y estaba relacionado con los biblis-
tas salmantinos. Fray Luis lo llama a declarar en su defensa durante el proceso. Ruiz le dedicó dos composiciones latinas para la segunda edición de *In Cantica Canticorum Explanatio* (1582). Escribió otro poema latino para la edición
de los *Commentaria in Habacuc* (1585) de Antonio de
Guevara, un buen amigo de Sánchez de las Brozas. En 1587
participó en unas justas poéticas en Toledo en honor de
santa Leocadia. La única fecha segura de esta oda es que es
anterior a 1583, porque aparece en el manuscrito *Fuentelsol* que se copia entonces. La fecha *post quem* es difícil de
dar. Llobera sugiere 1578.

Se trata de un breve poema bien construido pero sin fuerza. Es una recreación sobre un tópico cínico y horaciano:
«la inutilidad de las riquezas para conseguir la tranquilidad
del alma» (Lapesa, 1961, pág. 303). A pesar de que el material es obviamente horaciano, su uso es muy libre, y más

---

[77] *generoso:* cfr. XXII,13.

que traducir o entrelazar, los textos del venusino funcionan aquí como pasajes paralelos que casi no se entrecruzan. Por otra parte, los poemas «In ayaros» son tópicos en la poesía clásica (cfr. *Anacreónticas*, XXXVI, ed. M. Brioso, Madrid, 1981, pág. 36) y en la poesía latina humanística; cfr. por ejemplo los epigramas de Tomás Moro «In avarum» o «Dives avarus pauper est sibi» *(Opera Omnia,* Lovaina, 1566, ff. 19 y 23), la composición «In avaros» de J. J. Falcó *(Operum poeticorum libri V,* Barcelona, 1624, ff. 79-81), etc.

V

A FELIPE RUIZ

De la avaricia

En vano el mar fatiga
la vela portuguesa; que ni el seno
de Persia ni la amiga
Maluca da árbol bueno,
que pueda hacer un ánimo sereno.   5
    No da reposo al pecho,
Felipe, ni la India, ni la rara

---

¹ *fatiga:* latinismo semántico, cfr. VI,23.

²⁻³ *seno / de Persia: sinus* se utiliza poéticamente como 'golfo', de ahí Fray Luis.

² *vela portuguesa:* eran famosos los viajes comerciales de los portugueses a Oriente, especialmente a las Molucas, las llamadas Islas de las Especias.

⁴ *árbol bueno:* especia o fruto que quite la locura de la avaricia que es «furor haut dubius, cum sit manifesta phrenesis» (Juvenal 14,136); tiene presente también a Horacio, *Ep.* I,11,27: «caelum, non animum, mutant qui trans mare currunt», los lejanos viajes más allá del mar no hacen cambiar un espíritu, no proporcionan un 'ánimo sereno'.

⁶⁻¹⁰ Recuerda lejanamente a Horacio III, 1,41-43: «Quod si dolentem nec Phrigius lapis / nec purpurarum sidere clarior / delenit usus».

⁷ *India:* que en la Antigüedad era proverbialmente rica en marfil, oro y piedras preciosas, cfr. Tíbulo, II,2,15.

esmeralda provecho;
que más tuerce la cara
cuanto posee más el alma avara.   10
    Al capitán romano
la vida, y no la sed, quitó el bebido
tesoro persiano;
y Tántalo, metido
en medio de las aguas, afligido   15
de sed está; y más dura
la suerte es del mezquino, que sin tasa
se cansa ansí, y endura

9-10 Cfr. Horacio, III,16,17-18: «Crescentem sequitur cura pecuniam / maiorumque fames»; y Juvenal 14,139: «crescit amor nummi, quantum ipsa pecunia crevit».

11-13 Alude a Marco Licinio Craso, el triumviro, famoso por su avaricia, que murió en una emboscada en la guerra contra los Partos (53 a. de J. C.). Cuenta la leyenda que éstos por su avidez le llenaron la boca de oro fundido. «Non satis fuerunt Crasso numerosae illae divitiae, nisi et aurum Parthorum esuriret» dice Ravisius Textor *(Officina,* f. 265ʳ). *Parthi* y *Parthicus* se utiliza en latín (y lo hace especialmente Horacio, cfr. *Od.* I,2,22 y III,2,17) como equivalente a Persa y por eso Fray Luis habla de «tesoro persiano».

12 *la sed:* la comparación del avaro con el hidrófilo es tópico de la diatriba cínica, y Horacio lo utiliza frecuentemente (cfr. *Od.* II,2,13-14: «crescit indulgens sibi dirus hydrops / nec sitim pellit.» y *Ep.* II,2,146: «Si tibi nulla sitim finiret copia lymphae», y las notas correspondientes de Kiessling-Heinze.

14-16 Tántalo no aparece aquí por la versión clásica del mito, sino por la versión cristianizada de Fulgencio y Lactancio que lo presentan como un avaro. En palabras de Pérez de Moya *(Philosophia Secreta,* II, páginas 248-49):

> El Tántalo rey de Frigia era muy escaso y codicioso y amigo de enriquecerse, lo cual hacía vendiendo trigo muy caro, con que atraía a su poder todos los dineros de los pobres, por lo cual amaba el trigo como a su hijo. [...]. La pena de Tántalo denota la vida del hombre avaro; por lo cual dice San Fulgencio: Tántalo interpreta visión voluntaria; lo cual denota la condición del avariento, que teniendo riquezas no osa llegar a ellas, aun para sustentarse honestamente, y enbelesado en allegar, se deja perecer de hambre y desnudez.

Cfr. también Horacio, *Sat.* I,1,68-69: «Tantalus a labris sitiens fugientia captat / Flumina» y quizá *Od.* II,18,36-38; y Alciato, *Emblemata,* LXXXIV, «Avaritia»: «in mediis sitiens stat Tantalus undis».

16 *dura:* cruel.
18 *endura:* economiza, escatima.

92

el oro, y la mar pasa
osado, y no osa abrir la mano escasa.   20
    ¿Qué vale el no tocado
tesoro, si corrompe el dulce sueño,
si estrecha el ñudo dado,
si más enturbia el ceño,
y deja en la riqueza pobre al dueño?   25

VI

El poema a Elisa entrelaza dos temas queridos del humanismo: *a)* la descripción de la llegada de la vejez, especialmente en la dama y *b)* la figura de la Magdalena y el arrepentimiento por el error que envuelve a la persona sometida a la pasión.

a) El sentido corpóreo de la duración de la vida, que el Renacimiento del siglo XV ha ido recuperando, se plasma en la poesía petrarquista con la presentación de la vejez de la amada. Literariamente es un tópico helenístico abundantemente representado en la *Antología griega,* en Horacio y Propercio. En las colecciones de epigramas humanísticos el tema vuelve a cobrar vida y encontramos por una parte invectivas a las damas que fueron hermosas afeándoles su vejez, recuérdese Poliziano «In anum» contra la vieja libidinosa *(Carmina Illustrium* II, ff. 126v-127), Juan Petreyo, «De Gellia» *(Magdalenae,* f. 72), o J. J. Falcó (aunque posterior a Fray Luis), «De Layde anu» *(Operum*

---

²¹ *¿Qué vale:* cfr. Horacio, *Sat.* I,1,41-42: «Quid iuvat inmensum te argenti pondus et auri / furtim defossa timidum deponere terra?»; *el no tocado:* cfr. *ibíd.* 70-73:» congestis undique saccis / indormis inhians, et tamquam parcere sacris / cogeris aut pictis tamquam gaudere tabellis. / Nescis quo valeat nummus, quem praebeat usum?»
²² *si corrompe el dulce sueño:* cfr. *ibíd.* 76-78: «an vigilare metu exanimem, noctesque diesque / formidare malos fures, incendia, servos, / ne te compilent fugientes hoc iuvat?»
²³ *ñudo:* cfr. XIV,32-33.
²⁵ Cfr. Horacio III,16,28: «magnas inter opes inops». Es sentencia muy difundida, cfr. M. A. Flaminio: «in mediis opibus vivit rerum omnium egenus» *(Carmina Quinque,* pág. 215).

poeticorum libri V, Barcelona, 1624, f. 14v); y en romance J. de Almeida (ed. C. Cuevas, *Fray Luis León y la escuela salmantina,* pág. 165). Una variante muy frecuente del tema es la de pintar la futura vejez de la amada y recordarle entonces que sufrirá. Ésta puede tomar la forma de una exhortación al «carpe diem» como en Garcilaso (S. 23), o una imprecación y advertencia a las crueldades de la dama como en Bembo (S. 87) o Hernán Ruiz de Villegas (cfr. Introducción, págs. 25-26). El poema de Fray Luis se inserta en esa temática pero le da un giro casi barroco hacia el desengaño. La degradación con la edad del cuerpo no le sirve para afirmarlo, sino paradójicamente para negarlo y exhortar a la dama a ocultarlo bajo «velo santo».

Los puntos de partida son especialmente las invectivas horacianas: «Ad Lydiam iam vetulam» (I,25), «In Lycen anum factam» (IV,13) e «In Ligurinum superbum, pulchritudine et donis Veneris, sed aliquando turpem futurum» (IV,10), como se titulan en una edición de 1543 (H. Glareanus). Justamente, la última lleva como *argumentum:* «Monet ne quis ob corporis bona, quae momentanea sunt et fluxa, superbiat».

b) El tema de la Magdalena como modelo de pecadora arrepentida se recubre en el Renacimiento con el andamiaje petrarquista y ya Juan Petreyo, en sus *Magdalenae libri IV* (anteriores a 1544), goza presentándola con tonos hiperbólicos como igual a Diana y Venus, y, describiendo, como cualquier poeta petrarquista, su rostro, cuello, ojos, cabello, labios, por los que «Quam multi aspecta iuvenes gemuere puella, / perque oculos lentos traxerunt ossibus ignes?» (f. 6ᵛ). Los hexámetros virgilianos que cantaron a Elisa-Dido se adaptan bien a la figura de esta Magdalena renacentista. Incluso tiene un cierto sensualismo cuando la nodriza de Magdalena, Glaphyra, se acerca a su cama y le aconseja que goce de la vida mientras pueda: «et dum sinit aetas, / carpe iocos, celeremque iuventae praerripe fructum» (f. 11v) la enciende como el falso Ascanio a Dido (I,688): «et inspirans accendit in ossibus ignem, / et penitus totas liquefecit amore medullas». Con estos antecedentes no es extraño que Fray Luis ponga como interlocutor

94

poético a una Elisa-Dido garcilasiana, y que después le contraponga la figura de Magdalena. No quiero decir que Fray Luis hubiera leído a Petreyo, aunque pudo hacerlo, sino que en un ambiente humanístico similar al del vate de Alcalá creo que la relación entre una Elisa petrarquista y la Magdalena era fácil. Por otra parte el tema de la Magdalena aparece con frecuencia en la literatura humanística hispana anterior a Fray Luis: Alvar Gómez de Ciudad Real le dedica todo un libro del poema épico *Thalichristia* (Alcalá, 1522) y Juan de Vilches le dedica también una oda horaciana de su *Bernardina* (Sevilla, 1544; ff. 91v-94).

Sobre el tema de la Magdalena tenemos dos poemas atribuidos a Fray Luis: un soneto «Las manos que la muerte a tantos dieron», publicado en 1582 en el *Vergel de flores divinas* de J. López de Ubeda, que pienso que deriva de la oda de Fray Luis (cfr. Vega [1955] págs. 579-8); y una «Lira a la Magdalena» que recoge Merino en su Apéndice segundo, «Si de mi bajo estilo». Esta lira es mejor que el soneto con el que tiene alguna coincidencia (cfr. vv. 33-35 y Son. v.9).

VI

DE LA MAGDALENA*

Elisa, ya el preciado
cabello, que del oro escarnio hacía,
la nieve ha variado;

---

* Título: *Quevedo* trae «otra» y *alfa* «de la Magdalena a una señora pasada la mocedad».

[1] *Elisa:* prototipo de dama enamorada, o sea la apasionada Elisa-Dido, que como la del poema sufrió «abandonata dal vago Enea la dolorosa Elisa» según dice el Bembo de *Gli Asolani,* ed. C. Dionisotti, *Prose e Rime,* Turín, 1964, pág. 359. Por eso lo utiliza también Garcilaso, cfr. *Obras Completas,* ed. E. Rivers, Madrid, 1974, pág. 264, y después muchos otros poetas del siglo XVI como Herrera, el canónigo Francisco Pacheco, Medrano, etc.

[1-2] Cfr. Garcilaso, *Egl.* I,273-76: «los cabellos que vían / con gran desprecio el oro, / como a menor tesoro / ¿a dónde 'stán?». Y sobre el tema también Son. 23,5-11.

¡ay! ¿yo no te decía:
—Recoge, Elisa, el pie, que vuela el día?   5
Ya los que prometían
durar en tu servicio eternamente,
ingratos se desvían
por no mirar la frente
con rugas afeada, el negro diente.   10
¿Qué tienes del pasado
tiempo sino dolor? ¿cuál es el fruto
que tu labor te ha dado,
si no es tristeza y luto,
y el alma hecha sierva a vicio bruto?   15
¿Qué fe te guarda el vano,
por quien tú no guardaste la debida

---

decía: la fórmula del verbo introductorio puede venir de Ausonio, *Epigr.* 34: «Dicebam tibi —Galla, senescimus.» Aunque la fórmula de «decir» introduciendo estilo directo como parte del pensamiento o meditación del yo poético es frecuente en Horacio y también en Garcilaso, cfr. E. Sarmiento, *Concordancias, s.v.* «dezía».

Recoge el pie: calca *referre pedem* en el sentido de «apartarse», «retirarse».

6-10 Cfr. Horacio I,25,2: «iuvenes protervi»; y IV,13,9-12:» [Ille] importunus... et refugit te quia luridi / dentes, te quia rugae turpant», «porque la boca denegrida y las canas te afean» traduce el mismo Fray Luis.

11 *¿qué tienes:* cfr. Horacio, IV,13,18-19: «quid habes illius, illius, / quae spirabat amores»; Jorge Manrique. «Coplas a la muerte de su padre», 7-11: «cuán presto se va el plazer, / cómo después de acordado da *dolor,* / cómo a nuestro parescer, / cualquiera *tiempo pasado»*.

13 *labor:* se utiliza en uno de los sentidos del latín *labor* como sufrimiento especialmente amoroso, cfr. Propercio, I,6,23-24: «et tibi non unquam nostros puer iste *labores* / afferat».

15 cfr. Garcilaso, *Can.* IV, 50-51: «se rindió la señora / y al siervo consistió que governasse» y las referencias correspondientes en E. Rivers. Se trata del viejo concepto del alma como señora y el cuerpo como sierva.

16 Cfr. Horacio I,5,5-6: «Heu quotiens fidem / mutatosque deos flebit...»; *vano:* vano. «Hombre frívolo» aparece así en el *Guzmán de Alfarache* (Corominas).

17-21 *la debida [fe] / a tu bien soberano:* entiendo «bien soberano» como el Señor, o sea, «no guardó la lealtad *(fides)* debida a Dios»; y, por ello, perdió de su seno esa 'querida prenda'», o sea el estado de gracia y puso en peligro la salvación de su alma. Me gusta más que suponer hijos o purezas perdidas, aunque el texto es suficientemente rico y ambiguo como para permitir también esas interpretaciones.

96

a tu bien soberano,
por quien mal proveída
perdiste de tu seno la querida   20
    prenda, por quien velaste,
por quien ardiste en celos, por quien uno
el cielo fatigaste
con gemido importuno,
por quien nunca tuviste acuerdo alguno   25
    de ti mesma? Y agora,
rico de tus despojos, más ligero
que el ave, huye, adora
a Lida el lisonjero;
tú quedas entregada al dolor fiero.   30
    ¡Oh cuánto mejor fuera
el don de hermosura, que del cielo
te vino, a cuyo era
habello dado en velo
santo, guardado bien del polvo y suelo!   35
    Mas hora no hay tardía,
tanto nos es el cielo piadoso,
mientras que dura el día;
el pecho hervoroso

---

¹⁹ *mal proveída:* calcado sobre *male provida,* 'sin prudencia', 'sin pre-ver' (Lapesa, pág. 119).

²² *uno:* latinismo semántico, *unum,* 'el solo'.

²³ *fatigue:* cubre el campo semántico del latín *fatiguet* (Lapesa, página 119).

²⁵⁻²⁶ *acuerdo alguno / de ti mesma:* el hombre o mujer sometido a las pasiones se convierte en bruto (cf. IX «Las Sirenas») y pierde su propia identidad, su cordura y el recuerdo de sí mismo, cfr. Horacio, *Epist.* I,2,25: «sub domina meretrice fuisset turpis et excors» y la nota correspondiente de Kiessling-Heinze.

²⁹ *Lida:* nombre inventado probablemente sobre los horacianos Lydia y Lyde.

³¹ *Oh cuánto mejor fuera:* cfr. Horacio III,27,42: «meliusne fluctus / ire... fuit» que Fray Luis traduce: «¡Ay! ¡Cuán más sano fuera».

³²⁻³³ *el don... te vino:* vuelve al tono petrarquista y platónico. La dama como microcosmo y su belleza, por tanto, proceden de dios y son robos o regalos del cielo (cfr. IV «Canción al nacimiento», vv. 16 y ss.); *a cuyo era:* equivale al latín *a quo erat* (Macrí que remite a Cuervo, *Dicc.* 2,7,141).

³⁵ *del polvo y suelo:* «del polvo del suelo» endíadis.

³⁹ *hervoroso:* h aspirada.

97

en breve del dolor saca reposo;   40
   que la gentil señora
de Mágdalo, bien que perdidamente
dañada, en breve hora
con el amor ferviente
las llamas apagó del fuego ardiente,   45
   las llamas del malvado
amor con otro amor más encendido;
y consiguió el estado,
que no fue concedido
al huésped arrogante en bien fingido.   50
   De amor guiada, y pena,
penetra el techo estraño, y atrevida
ofrécese a la ajena
presencia, y sabia olvida
el ojo mofador; buscó la vida;   55
   y, toda derrocada
a los divinos pies que la traían,
lo que la en sí fiada

⁴² *Mágdalo: Magdalá* (en griego) es el lugar de donde toma nombre María la Magdalena *(Mc.* 15,40). Pero Fray Luis parece considerar que el topónimo de donde se deriva el nombre es Magdolon *(Migdol),* que en latín bíblico aparece como Magdolus y también Magdǎlum que el poeta castellaniza como Mágdalo.

⁴⁴⁻⁴⁷ El concepto de que el buen amor de Cristo vence al amor libidinoso es un tópico en el tratamiento del tema de la Magdálena. Así lo presenta Alvar Gómez de Ciudad Real: el alma y el buen amor van venciendo al amor de la carne; o como él mismo resume en el *argumentum:* «Magdalena. Fictio poetica sed magni momenti et verisimilis. Nullus enim invenit Christum nisi carnem et mundum et diabolum vicerit ut hoc libro decimo nono introducit poeta fecisse Magdalenam» *(Thalichristia,* f. CXLVIIIv). Y Vilches, f. 92: «Qui suis verbis animum retraxit / ad sui spretis aliis amorem».

⁵⁰ Alude a Simón el Fariseo (Lc. 7,36) que invitó a comer a Cristo y en cuya casa transcurre el episodio de la Magdalena.

⁵⁶ *derrocada:* recuerda el uso erótico de esta palabra en el Son. I,5-6 de Fray Luis: el amante teme «que no venga derrocado / al suelo» por su mucho amor.

⁵⁷ *a los divinos pies que la traían:* «Que los divinos pies del Salvador la traían a sí, metáfora, por la gracia de Dios» explica Custodio Vega. «Traían» equivale a «atraían» *(Dicc. Aut.).* También puede tratarse de la fusión de dos aes sucesivas: «la (a)traían» (Alarcos, 1981-82, pág. 54).

gente olvidado habían,
sus manos, boca y ojos lo hacían.   60
    Lavaba larga en lloro
al que su torpe mal lavando estaba;
limpiaba con el oro,
que la cabeza ornaba,
a su limpieza, y paz a su paz daba.   65
    Decía: «Solo amparo
de la miseria extrema, medicina
de mi salud, reparo
de tanto mal, inclina
aqueste cieno tu piedad divina.   70
    ¡Ay! ¿Qué podrá ofrecerte
quien todo lo perdió? aquestas manos
osadas de ofenderte,
aquestos ojos vanos
te ofrezco, y estos labios tan profanos.   75
    Lo que sudó en tu ofensa
trabaje en tu servicio, y de mis males
proceda mi defensa;
mis ojos, dos mortales
fraguas, dos fuentes sean manantiales.   80
    Bañen tus pies mis ojos,

[61-62] *Lavaba... lavando:* este juego de palabras es tópico en los poemas sobre el tema, cfr. J. de Vilches, f. 92: «O amor quid non superas? *Lavantis* / multiplex crimen *lavis,* et decoram / e nimis foeda facis, atque amicam / ex inimica.»

[65] *paz a su paz daba:* dar la paz, 'besar' expresión coloquial procedente de la lengua de la misa.

[76] *Quevedo* trae «La que). Prefiero la lectura de *alfa* y *S. Felipe* porque se refiere a 'manos', 'ojos' y 'labios'.

[79-84] Los ojos de la amada como fuentes es una imagen petrarquista, cfr. *Canz.* 161,4 ó 332,54. En cuanto a «de tormento / mi boca, y red de enojos» se trata de un fuerte hipérbaton: «mi boca (ha sido) red de tormento y de enojos» (Lapesa, pág. 141). Al mismo tiempo creo que hay una ruptura buscada. En un soneto petrarquista, se esperaría «ojos... de tormento», y «red de enojos» se referiría naturalmente a los cabellos de la amada. Fray Luis rompe las expectativas del lector ligando todo esto a «mi boca». Pero no cierra la puerta a que uno rompa con la sintaxis, rota ya por el verso, y relacione la adjetivación con palabras que sintácticamente no le corresponden.

límpienlos mis cabellos; de tormento
mi boca, y red de enojos,
les dé besos sin cuento;
y lo que me condena te presento: 85
   preséntote un sujeto
tan mortalmente herido, cual conviene,
do un médico perfeto
de cuanto saber tiene
dé muestra, que por siglos mil resuene.»   90

VII

La oda es probablemente anterior a la cárcel, del periodo
en que preparaba las colección de traducciones de Horacio,
pues tiene dos versos que se corresponden:

> cuando el favor soplare más *derecho*
> recoge con buen tiento
> *la vela,* que va *hinchando con el viento*
> (Trad. de Horacio II,10,34-36)

> El Eolo *derecho*
> *hinche la vela* en popa...
> (vv.51-52)

---

[84] *besos sin cuento:* aunque la expresión es banal, a un humanista le
recordaría a Catulo 5,7-13; cfr. C. de Castillejo «una sola y es sacada la
mayor parte de Catulo: «Dadme, amor, besos sin cuento».

[87] *conviene:* lo entiendo como término retórico, como en Horacio,
Ars 316: «reddere personae scit *convenientia* cuique», referido al *decorum* de los personajes que presenta el poeta. Fray Luis está pensando en
dos caracteres poéticos: «un enfermo mortalmente herido» y un «médico
perfecto» cuyo *officium* (cfr. Hor. *Ars* 314 «quod iudicis officium») conoce el poeta y «conviene» cabalmente al Salvador y la *salus* que nos apor-
ta. La idea, por otra parte, se relaciona, como *Los Nombres de Cristo,* con
san Ambrosio: «omnia Christus est nobis: *medicus,* fons, *institia,* etc. *(Pl,*
XVI, 305c) y justamente en *Los Nombres* se presenta a Jesús como salud
(págs. 759-61).

Debe de ser también coetánea de la oda XX «A Santiago» que presenta una versión resumida del tema.

La composición se escribe como ejemplo moral de uno de los errores que amenazan al varón justo: la pasión amorosa, «un gozo breve que sin fin se llora» (XII,20). Para ese efecto escoge una narración histórica, divulgada por el romancero y por las crónicas. Tal como la resume Lucio Marineo Sículo *(Crónica d'Aragon,* Valencia, 1522, f. IIII^r) reza así: «A treze días del mes de noviembre del nascimiento de nuestro Salvador contando DCCVII años, teniendo el señorío de toda España el rey Rodrigo, passaron de Africa en España grandíssimas huestes de moros por el estrecho de Gibraltar traydos e guiados por la traición del conde don Julián, conde de Cantabria, el qual muy mal indinado contra el rey Rodrigo porque forçosamente avie adulterado con su muger, determinó destruirlo y de todo echarlo a perder». La tradición historiográfica considera que la hermosa Cava era hija de don Julián, pero ya en la *Crónica Toledana* de 1243 encontramos a la Cava convertida en esposa del conde como en el siciliano. Es posible que Fray Luis pensara en una versión de este estilo que se adapta mejor al mito de Helena y Paris.

Sobre la narración histórica se transpone el esquema de la oda horaciana I,15. Los protagonistas se equiparan fácilmente: Nereo se convierte en el Tajo, el troyano Paris en don Rodrigo, Helena esposa de Menelao en la Cava esposa de don Julián. Se transponen también piezas fundamentales de la oda horaciana: partículas y exclamaciones: *heu, iam;* o algún giro retórico como *non...respicis?* Son como los apoyos o vigas de la construcción que naturalmente es diferente. L. Spitzer y Dámaso Alonso han señalado bien esas diferencias.

VII

PROFECÍA DEL TAJO

Folgaba el rey Rodrigo
con la hermosa Cava en la ribera
del Tajo, sin testigo;
el río sacó fuera
el pecho y le habló desta manera: 5
«En mal punto te goces,
injusto forzador; que ya el sonido
oyo, ya y las voces,
las armas y el bramido
de Marte, de furor y ardor ceñido.   10
¡Ay! esa tu alegría
qué llantos acarrea, y esa hermosa,

---

¹ *Folgaba:* Fray Luis presenta la escena en el momento en que el rey
Rodrigo viola a la Cava. Por eso dice que el acto se da «sin testigo» que
pueda incriminarlo, y por eso lo llama después «forzador» (7).

² *hermosa:* h aspirada.

⁵ Cfr. XX,54: «del agua el pecho alzando»; *habló desta manera:* el Tajo,
al igual que Nereo en Horacio I,15, Proteo y otras divinidades de las aguas,
tienen poderes proféticos. En la *Égloga* II de Garcilaso es también un río,
«el viejo Tormes» (v.1169), el que desvela el futuro a Fray Severo, y en
la *Syntra* de Luisa Sigea es una ninfa de las aguas la que vaticina el futuro de la princesa portuguesa.

⁶ En mal punto: cfr. Hor. I,15,5: «Mala ducis aui».

⁷⁻⁹ *ya...ya:* Hor. I,11: *«iam galeam Pallas»*

⁹ Quevedo trae «las armas y». Conserva ecos de Garcilaso, *Can.* V,13-15:
«El fiero Marte... de polvo y sangre y de sudor teñido.»

¹¹⁻¹⁵ Cfr. la «Epístola de don Diego de Mendoça a Boscán», 61-66: Aquella hermosura que tan caro/ te cuesta, y que holgavas tanto en vella, /
contra cuya herida no ay reparo, / admiróte otro tiempo ver quán bella, /
quán sabia es, quán gentil y quán cortés, / y aun quiça agora más te
admiras d'ella. (ed. Riquer-Molas, I,344).

¹¹⁻¹²*hermosa:* excepcionalmente no aspira. Hay otros casos como en la
trad. de Virgilio, *Egl.* X,94: «el frío, o menoscabe tu hermosura».

que vio el sol en mal día,
a España ¡ay cuán llorosa!,
y al cetro de los Godos ¡cuán costosa!   15
Llamas, dolores, guerras,
muertes, asolamiento, fieros males,
entre tus brazos cierras;
trabajos inmortales
a ti y a tus vasallos naturales: 20
    a los que en Constantina
rompen el fértil suelo, a los que baña
el Ebro, a la vecina
Sansueña, a Lusitania,
a toda la espaciosa y triste España.   25
    Ya dende Cádiz llama
el injuriado Conde, a la venganza
atento y no a la fama,
la bárbara pujanza,
en quien para tu daño no hay tardanza.   30
    Oye que al cielo toca
con temeroso son la trompa fiera,
que en África convoca
el Moro a la bandera,
que al aire desplegada va ligera.   35
    La lanza ya blandea
el Árabe cruel, y hiere el viento,
llamando a la pelea;

   23-24 *a la vecina Sansueña:* Sansueña es el nombre épico y romanceril
de Pamplona o Zaragoza. Probablemente alude a esta última ciudad que
efectivamente es «vecina» del Ebro. Por lo menos a través de la toponi-
mia, el romancero entra a formar parte de esta oda épica.
   25 *triste España:* 'que será triste' con valor proléptico (cfr. L. Spitzer,
pág. 211).
   29 *bárbara pujanza:* el poderío árabe es 'bárbaro' por ser extranjero
(barbarus) y también cruel.
   32 temeroso son: 'que produce temor' como en Virgilio, *Aen.* VI,53: «at-
tonitae domus» (' de la mansión que produce estupor').
   37 *hiere el viento:* se puede entender que 'el árabe hiere el viento con
su clamor' o que 'la lanza hiere el viento'. La mayoría de los editores pre-
fiere la primera interpretación y la relacionan con *Aen.* III,128: «ferit aethera clamor».

innumerable cuento
de escuadras juntas veo en un momento. 40
Cubre la gente el suelo,
debajo de las velas desparece
la mar, la voz al cielo
confusa y varia crece,
el polvo roba el día y le escurece. 45
¡Ay!, que ya presurosos
suben las largas naves; ¡ay!, que tienden
los brazos vigorosos
a los remos, y encienden
las mares espumosas por do hienden. 50
El Éolo derecho
hinche la vela en popa, y larga entrada
por el Hercúleo Estrecho
con la punta acerada
el gran padre Neptuno da a la armada. 55
¡Ay triste! ¿y aún te tiene
el mal dulce regazo? ¿ni llamado
al mal que sobreviene,
no acorres? ¿ocupado,
no ves ya el puerto a Hércules sagrado? 60

---

[40] *juntas:* reunidas *(iunctae)* en un momento.

[42-43] Cfr. Virgilio, *Aen.* IV,582: «latet sub classibus aequor».

[43-44] *la voz al cielo... crece:* cfr. Virg., *Aen.* XI,192: «It caelo clamor».

[45] *roba el día y le escurece:* cfr. Virg., *Aen.* I,85: «Eripiunt subito nubes caelumque diemque». 'Roba' en este caso es latinismo semántico (Lapesa, pág. 119).

[47] *largas naves:* se refiere a la *navis longa,*o sea la galera.

[47-49] *tienden / los brazos:* cfr. Virg., *Aen.* V.136: «Intentaque bracchia remis».

[49-50] *encienden / ...por do hienden:* cfr. Virg., *Aen,* VIII,672-74: «sed fluctu spumabant caerula cano ... aequora ... aestumque secabant». La imagen de 'enciende' procede del *aestus* citado con el doble significado de 'ardor' y 'agitación de las aguas'. 'Espumosas' es un uso proléptico del adjetivo, 'que se harán espumosas'.

[51] *Eolo:* los vientos están sometidos a Neptuno que favorece el paso por el estrecho de Gibraltar ('herculeo'): *derecho:* es adverbio, cfr. trad. de Horacio *Od.* II,10,34-36 citada.

[56] *¿y aún te tiene:* cfr. Horacio, I,15,19: «tamen, heu serus».

[57] *mal dulce:* = *male dulcis,* imitando el uso de *male* como negación.

[60] *No ves:* cfr. Hor., *ibíd.,* 21-22: «Non...non...respicis?»; *a Hércules sagrado:* que está consagrado a Hércules, refleja la construcción *sacrum alicui.*

104

Acude, acorre, vuela,
traspasa el alta sierra, ocupa el llano;
no perdones la espuela,
no des paz a la mano,
menea fulminando el hierro insano.»   65
    ¡Ay, cuánto de fatiga,
ay, cuánto de sudor está presente
al que viste loriga,
al infante valiente,
a hombres y a caballos juntamente!   70
    Y tú, Betis divino,
de sangre ajena y tuya amancillado,
darás al mar vecino
¡cuánto yelmo quebrado,
cuánto cuerpo de nobles destrozado!   75
    El furibundo Marte
cinco luces las haces desordena,
igual a cada parte;
la sesta, ¡ay!, te condena,
¡oh cara patria!, a bárbara cadena.   80

---

[63] *perdones:* latinismo semántico equivalente a *parcere* (Lapesa, página 120).

[65] *hierro insano:* insano significa 'enfurecido'. Aunque como adjetivo va ligado a hierro, su significado parece referirse al sujeto, como una forma de enálage («ibant obscuri...sub nocte», *Aen.* VI,268). También es posible que lo considerase una personificación.

[66-70] Cfr. Hor., I,15,9-10: «Heu, heu, quantus equis, quantus adest viris sudor!»

[74-75] Cfr. Virgilio, *Aen.* I,100-101: «ubi tot Simois correpta sub undis / scuta virum galeasque et fortia corpora volvit.»

[77] *luces:* «conforme al uso latino que permitía equiparar a veces *lux* y *dies*» (Lapesa, 120); *haces:* son las filas de guerreros en formación de combate, construido sobre *acies*. Es un cultismo ya en uso en el castellano medieval (Llobera).

[78] *igual a cada parte:* 'equilibrado respecto a los dos bandos'.

VIII

El Loarte al que se dedica la oda es Diego Loarte, arcediano de Ledesma y quizá pariente del doctor Loarte al que Lucio Flaminio Sículo dedica un epigrama en su *Epigrammaton libellus* (Salamanca, 1503, f. a5ᵛ).

La composición está relacionada con la oda III a Salinas y ambas obedecen a las mismas concepciones. Así el *Comentario a Job* nos dice (pág. 1244): «Y llama música de cielos a las noches puras; porque con el callar en ellas los bullicios del día, y con la pausa que entonces todas las cosas hacen, se echa claramente de ver, y en cierta manera se oye su concierto y armonía admirable, y no sé en qué modo suena en lo secreto del corazón su concierto que le compone y sosiega.»

La noche, como el silencio del apartamiento de la oda I, conduce al hombre interior que reúne en pequeño, como microcosmo, todo ese mundo exterior y eleva el alma a Dios, como se glosa también en el *Comentario a Job* (página 865):

> De manera que esta revelación de Elifaz fue de noche muy noche. Y a la verdad aquel tiempo es muy aparejado tiempo para tratar con el cielo; porque el suelo y sus cuidados impiden menos entonces; que, como las tinieblas le encubren a los ojos, ansí las cosas dél embarazan menos el corazón, y el silencio de todo pone sosiego y paz en el pensamiento; y como no hay quien llame a la puerta de los sentidos, sosiega el alma retirada en sí misma; y desembarazada de las cosas de fuera, éntrase dentro de sí, y puesta allí, conversa solamente consigo y reconócese. Y como es su origen el cielo, avecínase a las cosas dél y júntase con los que en él moran; los cuales influyen luego en ella sus bienes como en sujeto dispuesto, por cuyo medio se adelanta y mejora; y subiendo sobre sí misma, desprecia lo que estimaba de día y huella sobre lo que se precia en el suelo, al cual con ello todo ve sepultado en tinieblas; y súbese al cielo, que entonces por una cierta manera se le abre res-

plandeciente y clarísimo, y mete todos sus pensamientos en Dios y en medio de la escuridad de la noche le amanece la luz.

La visión de la armonía del mundo, especialmente nocturna despierta los recuerdos al alma desgajada de su origen. La armonía de las estrellas despierta la armonía del hombre que se manifiesta en la música (oda III) o en la poesía. La idea aparece también en un poema de Juan Mateo Toscano *(Sannazarii Opera,* 317):

> Dum nocturna vago volvuntur sidera cursu,
>> Noxque polum fuscis vecta pererrat equis
> Caeteraque invisas oblita animalia curas
>> Languida iucundo membra sopore rigat,
> Facundi digitis quondam tractata Catuli
>> Ipse sacros doceo plectra subire modos:
> Alma salutiferae modulatus gaudia noctis,
>> Cui nitido par est lumine nulla dies.

La imagen tiene como uno de sus puntos de referencia un famoso pasaje de Lucrecio (V. 1204-1210):

> Nam cum suspicimus magni caelestia mundi
> templa super stellisque micantibus aethera fixum,
> et venit in mentem solis lunaeque viarum,
> tunc aliis opressa malis in pectora cura
> illa quoque expergefactum caput erigere infit,
> nequae forte deum nobis immensa potestas
> sit, vario motu quae candida sidera verset.

Esta idea es propia de las actitudes del sabio moderado y constante. El sabio se somete a la naturaleza y la conoce. Comparada con ella este mundo le resulta minúsculo, un punto. Cicerón nos explica bien este rasgo del *sapiens* *(Tusc.* IV,17,37): «quid enim videatur ei (sapienti) magnum in rebus humanis, cui aeternitas omnis totiusque mundi nota sit magnitudo? Nam quid aut in studiis humanis aut in tam exigua brevitate vitae magnum sapienti videri potest...» Por este tema la oda se relaciona con la X y el concepto allí expuesto de que el hombre a ‹través del conocimiento de la naturaleza puede alcanzar una forma de beatitud.

A su vez, *los Nombres de Cristo* nos aclaran también algunos conceptos de esta oda, especialmente el de 'morada de grandeza' o morada del cielo (pág. 447):

Vive en los campos Cristo, y goza del cielo libre, y ama la soledad y el sosiego; y en el silencio de todo aquello que pone en alboroto la vida, tiene puesto El su deleite. Porque, así como lo que se comprende en el campo es lo más puro de lo visible, y es lo sencillo y como el original de todo lo que de ello se compone y se mezcla, así aquella región de vida adonde vive aqueste nuestro glorioso bien, es la pura verdad y la sencillez de la luz de Dios, y el original expreso de todo lo que tiene ser, y las raíces firmes de donde nacen y adonde estriban todas las criaturas. Y si lo habemos de decir así, aquéllos son los elementos puros y los campos de flor eterna vestidos, y los mineros de las aguas vivas, y los montes verdaderamente preñados de mil bienes altísimos, y los sombríos y repuestos valles, y los bosques de la frescura, adonde, exentos de toda injuria, gloriosamente florecen la haya y la oliva y el lináloe, con todos los demás árboles del incienso, en que reposan ejércitos de aves en gloria y en música dulcísima, que jamás ensordece. Con la cual región, si comparamos este nuestro miserable destierro, es comparar el desasosiego con la paz, y el desconcierto y la turbación, y el bullicio y disgusto de la más inquieta ciudad, con la misma pureza y quietud y dulzura. Que aquí se afana y allí se descansa; aquí se imagina y allí se ve; aquí las sombras de las cosas nos atemorizan y asombran; allí la verdad asosiega y deleita; esto es tinieblas, bullicio alboroto; aquello es luz purísima en sosiego eterno.

VIII

NOCHE SERENA

A Don Loarte

Cuando contemplo el cielo,
de innumerables luces adornado,
y miro hacia el suelo
de noche rodeado,
en sueño y en olvido sepultado,   5
  el amor y la pena
despiertan en mi pecho un ansia ardiente;
despiden larga vena
los ojos hechos fuente,
Loarte, y digo al fin con voz doliente: 10
  «Morada de grandeza,
templo de claridad y hermosura,
el alma, que a tu alteza
nació, ¿qué desventura
la tiene en esta cárcel baja, escura?   15
  ¿Qué mortal desatino
de la verdad aleja así el sentido,
que, de tu bien divino
olvidado, perdido
sigue la vana sombra, el bien fingido?   20

---

¹⁻² Cfr. Lucrecio V,1204-1205 antes citado.

³ *hacia:* h aspirada.

⁵ Cfr. III,7 y trad. de Virgilio, *Egl.* VI,28: «en sueño y más en vino sepultado».

¹² Es la expresión lucreciana *caeli lucida templa;* sobre el concepto véase la anotación a III,25; *hermosura:* h aspirada.

¹³⁻¹⁴ *a tu alteza / nació:* 'que nació a tu altura (y de tu altura a tu semejanza)'. El alma del hombre procede del alma cósmica. La expresión se encuentra también en el *Panegyricus Divo Augustino* (pág. 373): «Rationen dico et intelligentiam, que aethereo et divino genere atque statu edita ('que nació de tu alteza y divino linaje'), cum se erexerit ad cognatas sibi similesque naturas...».

¹⁵ *cárcel baja:* cfr. X,2 y la anotación.

El hombre está entregado
al sueño, de su suerte no cuidando,
y, con paso callado,
el cielo, vueltas dando,
las horas del vivir le va hurtando.   25
    ¡Oh, despertad, mortales!
¡mirad con atención en vuestro daño!
las almas inmortales,
hechas a bien tamaño,
¿podrán vivir de sombras y de engaño?   30
    ¡Ay, levantad los ojos
aquesta celestial eterna esfera!
burlaréis los antojos
de aquesa lisonjera
vida, con cuanto teme y cuanto espera.   35
    ¿Es más que un breve punto
el bajo y torpe suelo, comparado
con ese gran trasunto,
do vive mejorado
lo que es, lo que será, lo que ha pasado?   40
    Quien mira el gran concierto

[31-35] Cfr. el pasaje de Cicerón antes citado: «quid in *studiis humanis*
aut in tam exigua brevitate vitae magnum sapienti videri potest» (e Introd. a X). La *ataraxia* epicúrea consiste justamente en *nil cupere, nil
timere* ('cuanto teme y cuanto espera'); sobre conceptos estoicos similares véase I,39-40 y Horacio, *Ep.* I,4,12: «inter spem curamque, timores
inter et iras / omnem crede diem tibi diluxisse supremum». Era una expresión divulgada en el Renacimiento y por ejemplo Isabel de Este lo tenía como emblema: «Nec spe nec metu» (J. Herrero Llorente, *Diccionario de expresiones y frases latinas*, núm. 2865). Véase también en un contexto similar la «Respuesta de Boscán a don Diego de Mendoça» v. 177:
«sin colgar de sperança ni de miedo», y la «Epístola de don Diego a Boscán», vv. 25-33 citados en I,39-40.

[36-40] La eternidad y la grandeza del mundo (la «aeternitas omnis totiusque mundi... magnitudo» de Cicerón) se compara con lo pequeño de
la tierra. La tierra comparada a un punto aparece en Plinio, *Nat. h.*, II,
68,4; cfr. también Cicerón *Somnium Scipionis*, VI,9. Fray Luis tuvo presente también a Garcilaso que utiliza la imagen en *El.*, I,280-5: «Mira la
tierra, el mar que la contiene, / todo lo cual por un pequeño punto / a
respeto del cielo juzga y tiene. / Puesta la vista en aquel gran asunto /
y espejo, do se muestra lo pasado con lo futuro y lo presente junto.»

[40] Cfr. Homero, *Il.*, I,70, y otras referencias en X,8-9.

de aquestos resplandores eternales,
su movimiento cierto,
sus pasos desiguales
y en proporción concorde tan iguales;   45
    la Luna cómo mueve
la plateada rueda, y va en pos della
la Luz do el saber llueve,
y la graciosa Estrella
de amor la sigue reluciente y bella;   50
    y cómo otro camino
prosigue el sanguinoso Marte airado,
y el Júpiter benino,
de bienes mil cercado,
serena el cielo con su rayo amado;   55
    —rodéase en la cumbre
Saturno, padre de los siglos de oro;
tras él la muchedumbre
del reluciente coro
su luz va repartiendo y su tesoro—:   60
    ¿quién es el que esto mira
y precia la bajeza de la tierra,
y no gime y suspira,
y rompe lo que encierra
el alma y destos bienes la destierra?   65
    Aquí vive el contento,
aquí reina la paz; aquí, asentado
en rico y alto asiento,

---

⁴⁸*La Luz:* es Mercurio padre de la elocuencia y de la retórica, y de ahí
de todo el saber. Naturalmente el saber está ligado a la imagen de la luz.
⁴⁹⁻⁵⁰ *Venus.*

⁵² *Marte airado:* cfr. XXII,27.

⁵³ Cfr. Horacio, IV,4,74: «et benigno numine Jupiter».

⁶⁶⁻⁷⁵ El ritmo recuerda una estrofa de Arias Montano del Himno a Joel
(*Poemata,* pág. 96). Se refiere a la relación de la mente pura y devota con
Dios:

> Hic regna tandem, hic perpetuum decus,
> hic hic beatis imperiis frui,
> hic pace gaudere, et quietas
> divitias datur obtinere.

está el Amor sagrado,
de glorias y deleites rodeado;   70
    inmensa hermosura
aquí se muestra toda, y resplandece
clarísima luz pura,
que jamás anochece;
eterna primavera aquí florece.   75
    ¡Oh campos verdaderos!
¡oh prados con verdad frescos y amenos!
¡riquísimos mineros!
¡oh deleitosos senos!
¡repuestos valles de mil bienes llenos!»   80

Estos versos de Montano están construidos sobre los de Boecio, *De cons.*, III, metro 10,4-6, según la lectura peculiar de Octavianus Mirandula, *Illustrium poetarum flores,* Lyon, 1582, pág. 122:

> Hic vobis requies erit laborum,
> Hic portus placida manens quiete,
> Hic unum miseris patens asylum.

Las *Flores* de Mirandula es una enciclopedia de citas poéticas clásicas divididas por temas, y justamente estos versos de Boecio aparecen bajo la rúbrica «De beatitudine». El origen rítmico de los «Aquí...aquí» luisianos es Boecio, lo mismo que los «Allí...Allí» de XVII,64-65, donde se presenta también la *beatitudo* del sabio en su apartamiento. De la misma manera que Du Bellay debe a Boecio también la lejana inspiración del famoso soneto «L'idéal» vv.9-13 (por eso L. Spitzer, *L'Armonia,* pág. 146, los ponía en relación con Fray Luis):

> Là est le bien que tout esprit desire,
> Là le repos où tout le monde aspire,
> Là est l'amour, là le plaisir encore.
> Là, ô mon âme, au plus haut ciel guidée,
> Tu y pourras recognoistre l'Idée.

Fray Luis, Montano y Du Bellay hacen suyo el concepto boeciano que precede a los versos citados: «deum veramque beatitudinem unum atque idem esse monstravimus».

[69] *Amor sagrado:* es el Espíritu Santo; cfr. A. Montano, *Hymni,* página 37, «Ad Spiritum Sanctum»; «Amor continuus Patris, / Verbi perpetuusque Amor ...Sic tu dicere Spiritus / ... Dici sic et amas Amor.»

[75] Cfr. Ovidio, *Met.* I,107: «ver erat aeternum», justamente referido al paraíso terrenal, o sea a los Siglos de Oro.

[80] *repuestos:* 'con abundancia de bienes'.

IX

La oda va dedicada a 'Cherinto' que es nombre poético imaginario, como 'Lida' en VI,29. Es posible que proceda del *Corpus Tibullianum,* del delicioso ciclo de poemas de Sulpicia a Cerinthus o de Horacio *(Sat.* I,2,81). Por otra parte, el dedicar composiciones a nombres ficticios de la tradición poética clásica como 'Avitus', 'Posthumus', etc., es frecuente en la poesía neolatina.

La imagen central es un viejo tema estoico: el sabio es como Ulises ante las Sirenas. La utiliza Séneca *(Ad Luc.* XXXI,2):

> Sapiens eris, si cluseris aures, quibus ceram parum est obdere; firmiore spissamento opus est quam in sociis usum Ulixem ferunt. Illa vox, quae timebatur, erat blanda, non tamen publica, at haec, quae timenda est, non ex uno scopulo, sed ex omni terrarum parte circumsonat.

Y el mismo Fray Luis nos lo recuerda en el *Panegyricus divo Augustino* (pág. 374). El *stultus* (cfr. M. Pohlenz, «Stolti e saggi. L'uomo ideale» en *La Stoa,* I, Florencia, 1976, págs. 309-318), el que no busca la verdad:

> ab eadem ignoratione et errore profectus, et tempestate ad sensus, tanquam ad Syrenum scopulos et saxa delatus, et voluptatis illecibili specie, quasi carmine delinitus, eis perpetuo adhaerescens, libidinum aestu atque vorticibus rapiatur.

Es una imagen difundida en el Renacimiento, cfr., por ejemplo, el Emblema CXV de Alciato, «Sirenes».

Para el estoico los 'afectos' (los vicios) surgen por falsas representaciones u opiniones de cosas externas. La terapia, la liberación de los 'afectos' y la búsqueda del ideal de sabiduría consiste precisamente en encerrarse en sí mismo y considerar que fuera de la esfera moral no existe bien ni mal alguno. Las impresiones externas irrumpen con violencia en la parte racional que pierde su armonía dando pie al mal y al vicio. Para evitarlo «no vale fortaleza» (v.33), sólo el conocimiento de que se trata de falsos bienes puede librarnos de esas enfermedades anímicas. Por eso Fray Luis escoge como mito central el de las Sirenas. Ulises actúa como sabio que conoce de antemano las impresiones externas, se cierra a ellas, y busca en sí mismo la liberación de esos males.

Esta fábula aparece ligada a la de Circe en Horacio, *Epist.* I,2,23-26: «Sirenum voces et Circae pocula nosti: / quae si cum sociis stultus cupidusque bibisset, sub domina meretrice fuisset, turpis et excors / vixisset canis inmundus vel amica luto sus.» Es el texto más directamente relacionado con nuestra oda. De él surgen imágenes de posición estratégica como 'dorado vaso' (1-6), 'el cieno' (19-20) y los dos mitos centrales.

Por otra parte, el mito de Circe enlaza con un viejo concepto clásico y cristiano: el hombre malvado «qui probitate deserta homo esse desierit, cum in divinam condicionem transire possit, vertatur in belvam» (Boecio, *De cons.* IV,3,87). Y como explica Pérez de Moya en el 'sentido natural' del mito de Circe (*Philosophia* II,220):

> Ser Circe hija del Sol y de Perseides, hija de Océano, es que las inclinaciones y apetitos se engendran en los animales del humor y calor, porque estas, con otras influencias celestiales, naturalmente (si nos dominan) nos incitan o inclinan a deleites bestiales, a unos a comidas, a otros a lujurias, a otros a ira, a las cuales no resistiendo Circe, nos convierte en varias bestias, según pueden ser varias todas las cosas en que el hombre tome deleite, si la divina clemencia no nos ayudare.

También para Fray Luis, Circe no sólo va ligada a la lujuria, sino incluso a la gula y a la ira (vv.29-30).

114

IX

LAS SERENAS

A Cherinto *

No te engañe el dorado
vaso ni, de la puesta al bebedero
sabrosa miel, cebado;
dentro al pecho ligero,
Cherinto, no traspases el postrero   5
  asensio; ten dudosa
la mano liberal, que esa azucena,
esa purpúrea rosa,
que el sentido enajena,
tocada, pasa al alma y la envenena.   10

---

* Título: he preferido conservar la ortografía del nombre Cherinto que
traen ediciones y manuscritos, y no modificarla en Querinto que oscurece
su relación con el personaje poético.

1-5 Hipérbaton que hay que reordenar: «No te engañe el dorado vaso,
ni si está cebado de la sabrosa miel puesta al bebedero». La imagen aparece también en la «Imitación de diversos», v.55: «¿Qué vale el beber en
oro». Pero la fuente más directa de este material es bíblica, de las grandes
prostitutas de los *Proverbia*, 7 y del *Apocalipsis*. Fray Luis mismo nos
lo glosa en el *Panegyricus Divo Augustino* (pág. 375):

> Quid illa, de qua in *Apocalipsi* Joannes scribit, meretrix femina? Quam
> honesta facie est? Qua corporis atque oris dignitate describitur? Quo orna-
> tu? Quo vestitu? Quam pulchro? Quam regali? Utque ex auro factum gem-
> misque distinctum praegrande manu gestat poculum? At eo in poculo ama-
> rissima absinthia, venenum praesens, calamitas, exitium, diritas, mala om-
> nia et infesta continentur.

Sobre estos elementos bíblicos se superpone un símil lucreciano
(IV,11-13): «nam veluti pueris absinthia taetra medentes / cum dare co-
nantur, prius oras pocula circum / contingunt mellis dulci flavoque liquo-
re» (cfr. también I,936-39). A los pequeños romanos, para curarlos con la
amarga hierba del *absinthium* (ajenjo), les recubrían los bordes de los
vasos, «el bebedero», con miel que servía de engaño o cebo para atraerles,
y por eso dice «cebado». Después los inocentes se bebían también lo amargo.

6-15 Cfr. Virgilio, *Egl*. III,92-93: «quid legitis flores et humi nascentia
fraga, / frigidus, o pueri, fugite hinc, latet in herba».

Retira el pie; que asconde
sierpe mortal el prado, aunque florido
los ojos roba; adonde
aplace más, metido
el peligroso lazo está, y tendido.   15
  Pasó tu primavera;
ya la madura edad te pide el fruto
de gloria verdadera;
¡ay! pon del cieno bruto
los pasos en lugar firme y enjuto,   20
    antes que la engañosa
Circe, del corazón apoderada,
con copa ponzoñosa
el alma trasformada,
te ajunte nueva fiera a su manada.   25
  No es dado al que allí asienta,
si ya el cielo dichoso no le mira,
huir la torpe afrenta;
o arde oso en ira
o, hecho jabalí, gime y suspira.   30
  No fíes en viveza:
atiende al sabio rey Solimitano;
no vale fortaleza:
que al vencedor Gazano
condujo a triste fin femenil mano;   35
    imita al alto Griego,

---

[11] *retira el pie:* cfr. VI,5.

[15] *lazo:* 'trampa'.

[19] *pon del cieno bruto:* cfr. el texto citado de Horacio, *Epist.,* I,2, v.26:
«vel amica luto sus».

[29-30] *arde oso en ira / o hecho jabalí, gime:* cfr. Virg., *Aen.* VII,15-18:
«hinc exaudiri gemitus iraeque leonum / vincla recusantum et sera sub
nocte rudentum, / saetigerique sues atque in praesepibus ursi / saevire»
(Cuando Eneas pasa junto a la costa de Circe); Alciato, *Emblemas,* LXXVI,
ed. S. Sebastián, Madrid, 1985, págs. 111-112. Alarcos (1980,10) subraya
el carácter forzado y latinizante de los sustantivos en la función de atri-
butos propia de los adjetivos. Aquí tenemos *arde oso* y (con construcción
más explícita) *hecho jabalí gime.»*

[32] El rey Salomón.

[34] Sansón que venció a los filisteos en la batalla de Gaza.

que sabio no aplicó la noble antena
al enemigo ruego
de la blanda Serena,
por do por siglos mil su fama suena;   40
   decía comoviendo
el aire en dulce son: «La vela inclina,
que, del viento huyendo,
por los mares camina,
Ulises, de los Griegos luz divina;   45
   allega y da reposo
al inmortal cuidado, y entretanto
conocerás curioso
mil historias que canto,
que todo navegante hace otro tanto;   50
   Todos de su camino

---

[37] *aplicó:* latinismo semántico, 'dirigir', como en *applicare* (Lapesa, pág. 119).

[39] *blanda Serena:* el epíteto «blanda» aparece con frecuencia referido a las Sirenas o a su voz. Cfr. el texto antes citado de Séneca, *Ad Luc.* XXXI,2: «Illa vox, quae timebatur, erat blanda» y Marcial III,64: «Hilarem navigantium poenam / blandasque mortes gaudiumque crudelem». Es un término de crítica literaria y se relaciona con *mollis,* el estilo medio. Sobre la tradición romance del término cfr. E. Glaser, «O Brando Lasso'. The Origin and Meaning of an Epithet» en *Studia in honorem R. Lapesa,* I, Madrid, 1972, págs. 274-80.

[49-60] Parafrasea y traduce *Odisea,* XII,184-191. Tuvo presente la traducción de esos versos homéricos que ofrece Cicerón en *De finibus,* V,18,49:

O decus Argolicum, quin puppim flectis, Ulyxes,
auribus ut nostros possis agnoscere cantus?
Nam nemo haec unquam est transuectus caerula cursu
quin prius adstiterit uocem dulcedine captus,
post, uariis auido satiatus pectore musis,
doctior ad patrias lapsus peruenerit oras.
Nos graue certamen belli clademque tenemus
Graecia quam Troiae diuino numine uexit,
omniaque e latis rerum uestigia terris.

Como han señalado Llobera y Alarcos, ciertas expresiones luisianas coinciden con las de esta versión; cfr. 52-54: «satisfecho... el deseoso pecho» y *avido satiatus pectore;* 57-59: «la reñida guerra...de Troya y su caída» y *grave certamen belli clademque.*

[51-55] Falta esta estrofa en *Quevedo,* pero es indudablemente luisiana como señala Alarcos (1980, pág. 11). En un proceso mecánico de copia

tuercen a nuestra voz y, satisfecho
con el cantar divino
el deseoso pecho,
a sus tierras se van con más provecho.   55
    Que todo lo sabemos
cuanto contiene el suelo, y la reñida
guerra te cantaremos
de Troya, y su caída,
por Grecia y por los dioses destruida.»   60
    Ansí falsa cantaba
ardiendo en crueldad; mas él prudente
a la voz atajaba
el camino en su gente
con la aplicada cera suavemente.   65
    Si a ti se presentare,
los ojos sabio cierra; firme atapa
la oreja, si llamare;
si prendiere la capa,
huye, que sólo aquel que huye escapa.   70

X

Para la fechación del poema, un término *post quem* plausible lo da el *Comentario al Salmo XXVI* del que en conceptos y expresiones depende la oda. Ese comentario se acabó en la cárcel. Un término *ante quem* lo da su inclusión en el códice *Fuentelsol* que lleva fecha de 1583. Por su parte Macrí la considera coetánea de la oda III (1577-78).

El punto de partida es la filosofía moral antigua, concretamente Horacio, *Epist.* I,6,1-8:

Nil admirari prope res est una, Numici,
solaque quae possit facere et servare beatum.

---

es fácil que se hubiera perdido toda una estrofa en el arquetipo de *Quevedo*.
[69-70] Recuerda la historia de la mujer de Putifar y el casto José que huyó de ella dejándole la capa en las manos *(Génesis, XXXIX,12).*

118

hunc solem et stellas et decedentia certis
tempora momentis sunt qui formidine nulla
inbuti *spectent;* quid censes munera terrae...
quo *spectanda* modo, quo sensu credis et ore?

La ataraxia o apatía *(= nil admirari)* la pueden conseguir
algunos que «miran este sol y las estrellas y las estaciones
que se van con movimientos precisos». Si ver el cielo puede liberar a algunos sabios, «¿de qué modo hay que ver los
bienes de la tierra?». Fray Luis parte justamente de ese momento en que el sabio mira el cielo para despreciar las cosas de la tierra, y los 'veré' luisianos son lejano reflejo de
los *spectent...spectanda* horacianos. Entre Horacio y Fray
Luis hay un texto intermedio que parafrasea el *nil admirari:* la epístola «Respuesta de Boscán a don Diego de Mendoça» (ed. Riquer-Molas, I, págs. 352-53) vv. 19-48:

Quien sabe y quiere a la virtud llegarse,
pues las cosas verá desde lo alto,   20
nunca terná de qué pueda alterarse.

Todo lo alcançara sin dar gran salto:
sin moverse, andará por las estrellas,
seguro d'alboroço y sobresalto;

las cosas naturales verá bellas,   25
y bien dirá entre sí que son hermosas,
pero no parará por esso en ellas;

subirs'á al movedor de todas cosas,
y allí contemplará grandes secretos
hasta en las florecillas y en las rosas;

allí verá con causas los effetos,
y viendo los principios, y su fuente,
no avrá maravillar en sus concettos.

Verá el correr del sol resplandeciente,
y la velocidad incomparable   35
con que va, de levante hasta poniente.

Verá la luna y su mover mudable,
acá y allá mostrando desatinos
tanto, que a los antigos fue admirable.

Verá mil otros cursos y caminos,   40
según que por acá nuevas tenemos
de los siete planetas por los sinos.

Verá, en fin, más que todo quanto vemos,
y en maravillas no maravillado
estará, sin sentir jamás estremos.   45

Como digo, en lo alto irá encumbrado,
y viendo desde allí nuestras baxezas,
llorará y reirá de nuestro stado.

Como señala A. Reichenberger («Boscan's Epístola a
Mendoza», *HR*, XVII [1949], págs. 5-6), el neoplatonismo
de Castiglione pasa por estos versos y quizá por eso im-
presionó a nuestro platónico agustino.

La visión de las maravillas del mundo es una de las formas de búsqueda interior, y alcanzar esa visión es una forma de liberarse de los «miedos y esperanzas» y alcanzar la
vida bienaventurada en la tierra. Por eso, también el capitán Francisco de Aldana se dedica a la investigación de los
astros en sus octavas «Sobre el bien de la vida retirada»
(vv. 457-72; *Poesías,* Madrid, 1957, 94, con tópicos semejantes a los de Fray Luis, como señala el editor E. Rivers).
Sin duda la formulación de Boscán incidió en Fray Luis y
nos explica cómo el *spectent* horaciano se transforma en
los «veré...veré cómo...veré» de nuestra oda. La oda se enmarca también en las concepciones platónicas de Fray Luis.
El alma del hombre mantiene una relación armónica con
el alma cósmica y con sus emanaciones materiales en la estructura del mundo. El alma desordenada en esta cárcel material tiende a esa armonía, y ver ese concierto es una forma de armonizar nuestro propio ánimo.

Por otra parte la oda refleja un interés por cuestiones naturales y enlaza con la poesía científica de origen alejan-
drino. Fray Luis se centra en una serie de preguntas tópi-
cas de este tipo de literatura. Son temas de investigación a
los que podía dedicarse Propercio (III,5,25 y ss.) en la vejez, y a los que puede consagrarse un humanista, por ejemplo el hispano Juan Pardo a quien dedica una elegía Sannazaro *(Opera,* f.86):

Ad Ioannem Pardum Hispanum
Parde decus patriae spes maxima Parde tuorum
Atque idem Hispani gloria rara soli:
Quem iuvat immensi causas exquirere mundi,
    Primaque constanti corpora iuncta fide.
An magnum aeterno volvatur numine caelum,
    An propria hoc ingens mole laboret opus,
Cur salsi fluctus, cur ignibus aestuet Aetna,
    Cur vomat epotas vasta Charybdis aquas,
Unde nitor stellis, cur nox maiorve minorve,
    Cur non ipsa suo lumine Luna micet.
Felix coelesteis cui fas nunc scandere sedes,
    In queis post obitum fata manere sinant.

Según Sannazaro, el hombre que dedica sus esfuerzos a esas preguntas es ya un bienaventurado que en vida le está permitido *scandere sedes coelesteis*. Poco importa que las preguntas no sean las mismas que las de la oda del agustino. El diseño es el mismo. Son las mismas partículas *Cur...Unde...An,* que son las mismas de Fray Luis «por qué...do...de dó» y son las mismas que utilizan Propercio o Virgilio.

Pero para Fray Luis, esa forma de beatitud humana no es suficiente, pues es sólo reflejo de la beatitud divina. La *Exposición del Salmo XXVI* nos aclara este punto. En el cielo satisfará el hombre sus inquietudes científicas, las mismas que puede plantearse un poeta como Virgilio, pero conocerá también algo más: las causas más profundas de las cosas y los principios de todo. El texto es fundamental para la génesis de esta oda *(Op.* I,137-138):

Nam haec naturae rerum cognitio veluti cumulus additur visioni illi contemplationique Dei, in qua proprie ipsa beatitudo consistit. Igitur, has naturae partes atque rationes beati viri in coelesti illa et futura vita cognoscent, eaque ex cognitione capient summam voluptatem. Nam quod aliud puris et bene affectis animis exhibeatur gratius spectaculum, quam est hoc, quod illis a Deo exhibetur, cum de altissimo et maxime splendido loco coeli, in omnis mali experti vita ipsi constituti, non solum vident illa.

«Defectus solis varios, Iunaeque labores,
Unde tremor terris, qua vi maria alta tumescant,
Obicibus ruptis, rursusque in se ipsa residant,
Quid tantum Oceano properent se tingere soles
Hyberni, vel quae tardis mora noctibus obstet»;
[Virg., *G.* II, 478-482]:

Sed multo illis maora as reconditiora cognoscunt, causas
nimirum omnium rerum, et cujusque rei principia interio-
ra atque propria, ipsarumque inter se naturarum atque rerum consensiones et dissensiones arcanas, quarum est, ut
maxime occulta, ita ad cognoscendum maxime jucunda causa atque ratio; aliaque his similia permulta.

Como señaló Lapesa (1961, pág. 317), el agustino no cree
que una investigación científica pueda responder a los interrogantes más profundos de la naturaleza. El sabio en la
tierra puede acceder a ciertas verdades y su búsqueda es una
forma de beatitud en la medida en que es reflejo del conocimiento divino. Pero los saberes más profundos sólo se
pueden alcanzar cuando el alma vuelve a su origen.

En la *Exposición de Job,* como señala Macrí, hay también dos pasajes que desarrollan algunos tópicos de ese conocimiento divino de la naturaleza:

Primero resplandece y después truena;
primero sobre cuanto cubre el cielo,
descubre de su luz tendida vena,
    y brama luego al punto y tiembla el suelo,
y suena con la voz de su grandeza,
que pasa con ligero y presto vuelo...
    Él sopla y con su soplo enfrena el río
y pierde el agua puesta en duro estrecho
de su vago correr el desvarío...
    ¿Sabrás por dicha tú puntualmente
la causa por qué Dios manda al nublado
que cubra o que descubra el sol luciente?
    ¿Sabrás quién le extendió, y quién colgado
le tiene en cierto peso, maravilla
del que en todo es perfecto y acabado?
    ¿Por qué la vestidura más sencilla,
si sabes, di, calienta, cuando expira
el que refresca la africana orilla?

Al cielo, Job, los ojos alza y mira.
y di, ¿si tú por caso le forjaste,
vaciado como espejo en que se mira?

(Cap. XXXVII)

...¿Adónde estabas, dime, al punto y hora   10
que a plomo cimentaba yo la tierra?
¿Quién hizo por medida llano y sierra?
¿Quién levantó nivel, colgó plomada
en todo lo que el ancho suelo encierra?   15
    ¿Qué apoyos, dime, tiene? ¿en qué fundada
está su redondez?, ¿por cuya mano
la piedra de la clave fue asentada?...
    ¿Quién, di, con puerta y llave, quién cerrado   22
detuvo el mar, al punto que nacía
de golpe y con tropel soberbio, hinchado;
    cuando como con manto le cubría   25
de nubes, y con niebla espesa, oscura,
como con faja al niño le envolvía?
    Y ley le establecí que siempre dura,
y púsele firmísimos candados
y puerta con eterna cerradura.   30
    Y ven, dije, hasta aquí, los situados
límites no traspases, aquí sean
los bríos de tus olas quebrantados...
    Y dime, ¿si por dicha penetrados
han sido ya de ti los hondos mares,
los abismos secretos, apartados?...
    ¿Sabes por aventura la espaciosa
y grande redondez? ¿Y sus anchuras,
y la propia razón de cada cosa?...

    Y dime, ¿dónde tengo recogida
la nieve y sus tesoros? ¿Dónde tengo
multitud de pedrisco apercibida,
    para el amargo día, cuando vengo
con el contrario ejército a las manos,
y a mi furor la rienda no detengo?
    Y dime los caminos soberanos,
por do la luz se esparce, por do vienen
los soplos calurosos y malsanos.
    ¿Quién abre las acequias, que contienen

123

las lluvias con relámpagos mezcladas,
con truenos que los hombres enajenen?   75

[...]

¿De qué vientre, di, nacen las heladas?   85
¿Quién engendró la escarcha? ¿Quién el hielo?
¿Quién las nieves blanquísimas sentadas?...
    ¿Sabes del cielo los eternos fueros?
¿O por ventura imprimes tú en la tierra
el ser de aquellos cuerpos verdaderos?...
¿Quién contra el sueño alerto así porfía,
    desde que de la tierra los cimientos
sobre el profundo centro se fundaron;
desde que los primeros polvos lentos
en terrones sin cuento se apiñaron?

                                                          (Cap. XXXVIII)

X

A FELIPE RUIZ

¿Cuándo será que pueda
libre desta prisión volar al cielo,
Felipe, y en la rueda,

---

¹⁻⁵ Cfr. Boecio, *De cons.* II,7,42: «Sin vero bene sibi mens conscia terreno carcere resoluta caelum libera petit, nonne omne terrarum nego-
tium spernat, quae se caelo fruens terrenis gaudet exemptam?»; y en una
formulación cercana véase Prudencio, *Praefatio*, vv.43-45: «Haec dum scri-
bo vel eloquor, / *vinclis o utinam corporis emicem* / *liber quo* tulerit lingua» y la nota correspondiente de Isidoro Rodríguez, *Obras Completas de
Aurelio Prudencio*, BAC, Madrid, 1981; y B. Arias Montano (*Poemata*,
pág. 367): «Quando erit ut Domino ipse fruar? nanque uror amore /
Huius quo sine iam nec mihi vita placet.»
² *libre de esta prisión:* cfr. oda VIII,64-65: «y rompe lo que encierra /
el alma»; Garcilaso, *Egl.* I,398-9: «que se apresure el tiempo en que este
velo / rompa del cuerpo y verme libre pueda / y en la tercera rueda...».
Es el viejo concepto pitagórico y platónico del cuerpo como cárcel del
alma que una vez liberada vuelve al cielo de donde procede.
³⁻⁴ *la rueda / que huye mas del suelo:* en 66-67 especifica «veré sin movimiento / en la más alta esfera las moradas». El sistema tolomaico sólo
tenía nueve esferas y todas tenían movimiento. El empíreo o Paraíso estaba por encima de la novena y no era una esfera. Creo que Fray Luis no
sigue este aspecto concreto de la división de esferas de Tolomeo. Curiosamente en una carta temprana de Arias Montano a Fray Luis, el extre-

que huye más del suelo,
contemplar la verdad pura sin duelo?   5
    Allí a mi vida junto,
en luz resplandeciente convertido,
veré distinto y junto
lo que es y lo que ha sido,
y su principio propio y ascondido.   10
    Entonces veré cómo
la soberana mano echó el cimiento
tan a nivel y plomo,

---

meño le encarga que reúna citas de poetas y prosistas que apoyen su tesis
de que sólo existen tres esferas o cielos: «neque orbium caelorumque nu-
merum undecimum usque vel duodecimum produci putamus, namque tri-
bus tantum contenti caeteros tollimus, atque primum quidem hunc aerem
ad planetarum usque vocatum. Ipsum deinde omnium stellarum tam
errantium quam immobilium, locum ultimum autem Dei beatorumque
spiritum sedem statuimus.» (Cfr. J. López de Toro, «Fray Luis y Arias
Montano», *RABM*, LXI, 1955, pág. 547). Es probable que Fray Luis cuando habla de esferas o cielos lo haga en un sentido semejante al de Arias
Montano.

    [5] *sin duelo:* es lectura de *q* frente a «sin velo» de la mayor parte de
manuscritos. Es sin duda una lectura más difícil y además recuerda el *omnis mali experti* del *Comentario al Salmo XXVI* antes citado.

    [7] *en luz...convertido:* cfr. *Exposición de Job,* cap. 16, 20 (1006): «es el
cielo asiento de luz y la tierra de noche y de tinieblas»; ya Platón identi-
ficaba el alma del mundo con la luz, idea sobre la que se basa la teoría de
las emanaciones de luz a tinieblas de Plotino.

    [8-9] Quiere decir que tendrá una visión de todo como la de los profetas,
cfr. Homero, *Il.*,I,70 (referido al adivino Calcas): «que conoce el presente,
el futuro, el pasado»,ὅ ς ἤδη τά τ'ἐόντα τά ἐσσόμενα πρό τ'ἔοντα); y más cerca del griego, VIII,40: «lo que es, lo que será, lo que ha pasado»; cfr.
también Virgilio, *G.* IV,393-3: «novit namque omnia vates (Proteus), /
quae sint, quae fuerint, quae mox ventura trahantur»; Metrodoro de Lap-
saco frag. 37: «No olvides que tú, un mortal de limitada duración de vida,
a través de tu ocupación con la naturaleza has ascendido a lo infinito y
eterno, y has visto lo que es, lo que será y lo que ha pasado»; en la expresión tuvo presente a Garcilaso, *El.* I,285-85: «espejo do se muestra lo
passado / con lo futuro y lo presente junto».

    [12-17] Cfr. el pasaje de la *Exposición de Job* antes citado, cap. 38,
vv.10-11: al punto y hora / que a plomo cimentaba yo la tierra»; y 92-93:
«desde que de la tierra los cimientos / sobre el profundo centro se fundaron».

dó estable y firme asiento
posee el pesadísimo elemento.   15
   Veré las inmortales
colunas, do la tierra está fundada;
las lindes y señales,
con que a la mar hinchada
la Providencia tiene aprisionada;   20
   por qué tiembla la tierra;
por qué las hondas mares se embravecen,
dó sale a mover guerra
el cierzo, y por qué crecen
las aguas del océano y descrecen;   25
   de dó manan las fuentes;
quién ceba y quién bastece de los ríos
las perpetuas corrientes;
de los helados fríos
veré las causas, y de los estíos;   30
   las soberanas aguas

---

[15] *pesadísimo elemento:* superlativo relativo, 'el más pesado de los cuatro elementos' (Lapesa, pág. 125); cfr. Boecio, *De cons.* III,9,63: «Tu numeris elementa ligas... ne purior ignis / evolet aut mersas deducant pondera terras.»

[18-20] Cfr. *Exposición del libro de Job,* cap. 38, vv. 22-24 citados, que en la versión literal (v.8) reza: «¿Y quién cerró con puertas el mar, cuando salió afuera, como quien sale de madre;»; Jeremías (V,22): «Me ergo non timebitis, ait Dominus, et a facie mea non dolebitis: Qui posui arenam terminum mari, praeceptum sempiternum, quod non praeteribit: et commovebuntur, et non poterunt: et intumescent fluctus eius, et non trasibunt illud», cfr. D. Alonso-Reckert, *Vida y obra de Medrano,* II, Madrid, 1958, 223-224. Fray Luis recubre estas expresiones bíblicas con los antiguos interrogantes científicos: Hor., *Epist.* I,12,15: «quae mare compescant causae» y Lucr. VI,608; Propercio III,5,37: «curve suos finis altum non exeat aequor»; Claudiano, *In Ruf.* I,4-5: «Nam cum dispositi quasissem foedera mundi / praescriptosque mari fines»; Boecio, *De cons.* II, metro 8, 9-11: «ut fluctus avidum mare / certo fine coerceat, / ne terris liceat vagis / latos tendere terminos...».

[21-25] Cfr. Virg., *G.* II,479-480, que cita el mismo Fray Luis en la *Exposición del Salmo XXVI* en el pasaje reproducido antes.

[29-30] Cfr. Hor., *Epist.* II,12,16: «Quid temperet annum».

[30-31] Cfr. Propercio III,5,30: «et in nubes unde perennis aqua»

[31-33] *de los rayos las fraguas:* cfr. *Exposición de Job,* cap. 38, vv. 73-75 citados. En la oda, la idea adquiere un matiz clásico aludiendo a la «fragua del rayo» forjado por los Cíclopes como regalo para Júpiter.

126

del aire en la región quién las sostiene;
de los rayos las fraguas;
dó los tesoros tiene
de nieve Dios, y el trueno dónde viene.   35
¿No ves cuando acontece
turbarse el aire todo en el verano?
el día se enegrece,

[34-35] Cfr. *Exposición de Job*, cap. 38, vv. 64-65 citados.
[36-50] Sobre esta comparación de origen bíblico véase la traducción del *Salmo* XVII, vv. 16-40 (págs. 1639-1640):

> Y luego de la tierra el elemento
> airado estremeció; turbó el sosiego
> eterno de los montes su cimiento.
> Lanzó por las narices humo, y fuego
> por la boca lanzó: turbóse el día,   20
> la llama entre las nubes corrió luego.
> Los cielos doblegando descendía,
> calzado de tinieblas, y en ligero
> caballo por los aires discurría...
> Y de tinieblas todo se cercaba,
> metido como en tienda en agua escura
> de nubes celestiales, que espesaba,   30
> Y como dió señal con su luz pura,
> las nubes arrancando acometieron
> con rayo abrasador, con piedra dura.
> Tronó, rasgando el cielo; estremecieron
> los montes, y, llamados del tronido,
> más rayos y más piedras descendieron.   35
> Huyó el contrario roto, y desparcido
> con tiros y con rayos redoblados,
> allí queda uno muerto, allí otro herido.
> En esto, de las nubes despeñados
> con su soplo mil ríos, hasta el centro   40
> dejaron hecha rambla en monte, en prados

Cfr. también *Salmo* CIII (págs. 1662-1663; vv. 6-18); *Exposición de Job*, cap. 9,18 (pág. 931): «Que como en la tempestad de verano, cuando el aire se turba, el cielo se escurece de súbito y juntamente el viento brama y el fuego reluce, y el trueno se oye, y el rayo y l'agua y el granizo amontonados cayendo redoblan con increíble priesa sus golpes...» y las curiosas observaciones sobre la lluvia de los caps. 5,10 y 26,8. El material bíblico se complementa con el poema científico virgiliano G. I,313-315 y 318-331:»

> vel cum ruit imbriferum ver,
> spicea iam campis cum messis inhorruit et cum
> frumenta in viridi stipula lactentia turgent?
> ...

sopla el gallego insano
y sube hasta el cielo el polvo vano;   40
    y entre las nubes mueve
su carro Dios ligero y reluciente;
horrible son conmueve,
relumbra fuego ardiente,
treme la tierra, humíllase la gente;   45
    la lluvia baña el techo;
invían largos ríos los collados;
su trabajo deshecho,
los campos anegados
miran los labradores espantados.   50
    Y de allí levantado,
veré los movimientos celestiales,
ansí el arrebatado,

---

omnia ventorum concurrere proelia vidi,
quae gravidam late segetem ab radicibus imis   319
sublimem expulsam eruerent; ita turbine nigro
ferret hiems culmumque levem stipulasque volantis.
saepe etiam immensum caelo venit agmen aquarum
et foedam glomerant tempestatem imbribus atris
collectae ex alto nubes; ruit arduus aether,
et pluvia ingenti sata laeta boumque labores   325
diluit; implentur fossae et cava flumina crescunt
cum sonitu fervetque fretis spirantibus aequor.
ipse pater media nimborum in nocte corusca
fulmina molitur dextra: quo maxima motu
terra tremit; fugere ferae et mortalia corda   330
per gentis humilis stravit pavor:

[36] *No ves cuando:* cfr. Hor., *Od.* I,13,3: «Nonne vides ut...»
[39] *el gallego:* 'viento Cauro' *(Dicc. Aut.); insano:* 'enfurecido' *(insanus)*
[52-53] Según la doctrina antigua existen dos movimientos en las esferas:
uno del *primum mobile* (la novena esfera) y otro contrario de las res-
tantes esferas. Este es el movimiento 'natural', pero el movimiento del
primum mobile 'arrebata' *(rapit)* hacia sí a las otras esferas y las hace
retroceder. Como lo explica Hernán Ruiz de Villegas en un breve poema
cosmográfico *(Opera,* pág. 113): «motu primum ire diurno / fecit ab Eois
ad Iberica regna per Austrum, / atque orbes raptare alios sphaerasque minores / pene reluctantes mundumque adversus ituras.» El *Diccionario de
Autoridades* trae 'arrebatamiento' como «el ímpetu y acción violenta con
que se atrahe a si alguna cosa por fuerza contra su voluntad o naturaleza». Y da como ejemplo: «*Comend. sob. las 300,* fol. 101 'Y por esso
el tal movimiento, respecto de estos cielos, es contra natura y de arrebatamiento'. Lapesa (1961,315) aduce a Fernando de Herrera, *Anotaciones,*

como los naturales;
las causas de los hados, las señales.   55
   Quién rige las estrellas
veré, y quién las enciende con hermosas
y eficaces centellas;
por qué están las dos Osas
de bañarse en la mar siempre medrosas.   60
   Veré este fuego eterno,
fuente de vida y luz, dó se mantiene
y por qué en el ivierno
tan presuroso viene;
quién en las noches largas le detiene.   65
   Veré sin movimiento
en la más alta esfera las moradas
del gozo y del contento,
de oro y luz labradas,
de espíritus dichosos habitadas.   70

Sevilla, 1580, pág. 335: «El cielo propriamente es uno solo, los demás se
llaman globos i orbes, i es aquel que arrebata con su movimiento principal todas las otras esferas i orbes.» «Para estos versos pudo tener presente a Horacio, *Epist.* I,12,17: "Stelae sponte sua iussaeve vagentur et
errent".»

[55] *las causas de los hados, las señales:* el 'hado' es el destino augurado
por la astrología matemática; las «señales» son los *duodecim caeli signa*
(Isidoro, *Etym.* III,27), o sea los doce signos del zodiaco. Fray Luis creía
en la Astrología y lo manifiesta en varios lugares: cfr. *Exposición de Job,*
cap. 38, traducción y comentario del vers. 33 (Lapesa, 1961,315). Por otra
parte sabemos que Fray Luis había intentado estudiar esta ciencia (Coster, II,254-255).

[59-60] Cfr. Virgilio, *G.* I,246: «arctos Oceani metuentes aequore tingi» que
el mismo Fray Luis traduce «las Osas que en la mar nunca el pie frío /
lanzaron»; cfr. también Arato, *Phaenomena,* 47-48.

[61-65] Cfr. Virg., *G.* II, 481-82: «quid tantum Oceano properent se tingere soles / hiberni, vel quae tardis mora noctibus obstet».

XI

Juan de Grial era secretario de Pedro Portocarrero. Según los preciosos datos que ofrece E. Asensio (1981, páginas 47-49), en 1570 Grial acompañó a Portocarrero a Galicia donde permaneció hasta 1579. En 1582 escribe un poema latino para los preliminares del *Comentario al Cantar de los Cantares* de Fray Luis. En 1589 Portocarrero es nombrado obispo de Calahorra, y Grial ocupa el cargo de canónigo en esa diócesis. Es un humanista que se escribe con Sánchez de las Brozas y Arias Montano, y como tal colabora en la edición de san Isidoro (Madrid, 1599).

La oda que se le dedica es difícil de fechar. La última estrofa habla de un «torbellino traidor» que parece aludir a la cárcel, pero en realidad puede ser también la epidemia de viruela que azotó Salamanca en 1571 y obligó a 'exiliarse' al poeta, hasta mil otros motivos entre los que podrían contarse las murmuraciones de sus enemigos, pero no la cárcel propiamente dicha. La oda, por otra parte, tiene relación con las traducciones de Horacio que coinciden por lo menos en un verso (7 y trad. de III,27,27). Además nuestro agustino dedicó a Grial la traducción de II,12, «Al canto y lira mía», que es de 1571. La oda debe escribirse antes de la cárcel al mismo tiempo que hacía las traducciones del venusino. Quizá en 1571, como sugiere Lázaro Carreter. Sin duda los vv. 16-17: «el tiempo nos convida / a los estudios nobles» hubieran sonado burlescos en la prisión de Valladolid.

Como señaló Lázaro Carreter (1981, págs. 196-97), la oda enlaza con la tradición humanística y concretamente con un epigrama de Policiano (que imitó también genéricamente Bernardo Tasso) al melancólico inicio de los estudios en otoño:

> Iam cornu gravidus praecipitem parat
> afflatus subitis frigoribus fugam
> Autumnus pater et deciduas sinu
> frondes excipit arborum.

Cantant emeritis, Bacche, laboribus   5
te nunc agricolae, sed male sobrios
ventosae querulo murmure tibiae
saltatu subigunt frui.

Nos anni rediens orbita sub iugo
Musarum revocat, dulce ferentibus,   10
porrectisque monent sidera noctibus,
carpamus volucrem diem.

I mecum, docilis turba, biverticis
Parnassi rapidis per iuga passibus
expers quo senii nos vocat et rogi   15
consors gloria coelitum.

Nam me seu comitem, seu, juvenes, ducem
malitis, venio; nec labor auferet
quaerentem tetricae difficili gradu
virtutis penetralia.   20

Es un género frecuente en poesía humanística. Puede
compararse (cfr. F. Rico, 1981, pág. 248) con el siguiente
poema del mismo tipo de Alvar Gómez de Castro (ed. A.
Alvar, II, págs. 592-93) vv. 1-7:

Ad Plinianae lectionis sodales

Lucas praeteriit probi sodales
et tectis gelidae canent pruinae
et valles tepidas petunt bidentes,
et quaerunt calidos grues recessus,
pensis et teneras anus puellas   5
exercent vigiles, tumens magister
iam terret pueros minax, acerbus;

XI

AL LICENCIADO JUAN DE GRIAL

Recoge ya en el seno
el campo su hermosura, el cielo aoja
con luz triste el ameno
verdor, y hoja a hoja
las cimas de los árboles despoja.   5
  Ya Febo inclina el paso
al resplandor egeo; ya del día
las horas corta escaso;

---

¹⁻¹⁵ La primera parte recoge una *descriptio* tópica en la poesía huma-
nística: el finalizar del verano y la llegada del otoño relacionado con los
estudios y con el nuevo concepto de melancolía puesto de moda por Marsilio Ficino (cfr. R. Klibansky - E. Panofsky - F. Saxl, *Saturn and Melan-
choly*, Nueva York, 1964). Además del poema de Policiano véase M. A.
Flaminio *(Carmina Quinque*, 117-118); «Ad seipsum de adventu hyemis»:
«Iam bruma veniente praeterivit / aestas mollior, et cadunt ab altis / frondes arboribus [las cimas de los árboles despoja], tepor Favoni / immanes
Boreae furentis iras / formidans abit [ya Eolo al mediodía / soplando espesas nubes nos envía], illum agri voluptas / canorae volucres sequuntur
[ya el ave vengadora]; o también cercano a Fray Luis *(ibíd.* 123) «Ad Ale-
xandrum Farnesium Cardinalem»: «Iam diem gyro breviore claudens /
Phoebus insani rabiem leonis / sedat autumnumque refert decorum / mollior aestas» que casi parece traducido en «Ya Febo inclina el paso / al
resplandor egeo; ya el día / las horas corta escaso» aunque se trata seguramente de una relación genérica.

¹ El primer verso recoge el esquema inicial de Poliziano: «Iam cor-
nu...parat», pero también, como es habitual en los primeros versos luisianos, intenta acercarse a Horacio, la fuente común, cfr. Hor., *Od.*
II,15,1-2: «Iam pauca ... relinquent»; *en el seno:* cfr. Policiano, vv.3-4: «et
deciduas sinu / frondes excipit arborum».

⁴ *hoja a hoja:* h aspirada, como es habitual, aunque en v.2 «hermosura» no aspire.

⁷ *el resplandor egeo:* es un neologismo basado en el adjetivo griego
αἴγεος ('caprino'). No se refiere al signo de Capricornio que es de di-
ciembre, sino a la estrella de la Cabra, la más alta de las de la constelación
del Cochero; se elevaba a finales de septiembre en el momento de las tempestades del equinocio, cfr. Horacio III,7,6: «post insana Caprae sidera»
y la nota de F. Villeneuve de la edición *Belles Lettres*.

ya Éolo al mediodía
soplando espesas nubes nos envía;   10
    ya el ave vengadora
del Íbico navega los nublados
y con voz ronca llora,
y, el yugo al cuello atados,
los bueyes van rompiendo los sembrados.   15
    El tiempo nos convida
a los estudios nobles, y la fama,
Grial, a la subida
del sacro monte llama,
do no podrá subir la postrer llama;   20
    alarga el bien guiado
paso y la cuesta vence y solo gana
la cumbre del collado
y, do más pura mana
la fuente, satisfaz tu ardiente gana;   25
    no cures si el perdido
error admira el oro y va sediento
en pos de un bien fingido,
que no ansí vuela el viento,
cuanto es fugaz y vano aquel contento;   30

[11-13] *El ave vengadora:* la referencia a la emigración de las aves viene
forzada por el esquema tópico de la *descriptio.* Véase el fragmento citado
de Flaminio. Las grullas presenciaron la muerte del poeta Íbico a manos
de unos bandidos y juraron vengarle. Estando los asesinos en el Teatro
de Corinto vieron graznar a unas grullas, y comentaron que eran las ven-
gadoras de Íbico, y así se descubrió el crimen.

[14] *el yugo al cuello atados:* cfr. Garcilaso, *C.* V.18-19: «los alemanes /
el fiero cuello atados», y la trad. de Virg., *Egl.* IV,75: «Sin que ande al
yugo el toro el cuello atado».

[16-20] Cfr. Policiano, 9-10: «Nos anni rediens orbita sub iugo / Musarum revocat» («El tiempo nos convida»); 13-16 «I mecum, docilis turba,
biverticis / Parnassi rapidis per iuga passibus... nos vocat... consors gloria
coelitum» («y la fama Grial, a la subida / del sacro monte llama») y «expers quo senii... et rogi» («do no podrá subir la postrer llama»). «La postrer llama» como señala M. Morreale (1983, 384), es el fuego del *rogus,*
la pira funeraria, cfr. Séneca, *Herc. Oet.* 1966-68: «Quidquid in nobis tui
/ mortale fuerat, ignis evictus tulit; / paterna caelo pars data est flammis
tua». Para una interpretación distinta véase Isabel Uría, «El tiempo y la
postrer llama en la oda XI de Luis de León», *BRAE,* LXII, 1982,387-416.

[21-23] Cfr. II,21-23.

escribe lo que Febo
te dicta favorable, que lo antiguo
iguala y pasa el nuevo
estilo; y, caro amigo,
no esperes que podré atener contigo,   35
    que yo, de un torbellino
traidor acometido y derrocado
del medio del camino
al hondo, el plectro amado
y del vuelo las alas he quebrado   40

XII

Los versos 31 y siguientes aluden al lema adoptado por Fray Luis *ab ipso ferro*. La primera vez que lo utiliza es en la edición de su *Comentario al Cantar de los Cantares* cuyo permiso de impresión es de 1580. Probablemente se escribió en torno a esa fecha.

Sobre Felipe Ruiz véanse las odas V y X. Como apunta el subtítulo que trae la familia *Jovellanos*, «Del moderado y constante», la oda gira en torno a ese concepto antiguo de sabiduría. Cicerón nos lo explica bien en *Tusc.* IV,17,37: «Ergo hic, quisquis est, qui moderatione et constantia quietus animo est sibique ipse placatus, ut nec tabescat molestiis nec frangatur timore nec sitienter quid expetens ardeat desiderio nec alacritate futili gestiens deliquescat, is est sapiens, quem quaerimus, is est beatus, cui nihil humanarum rerum aut intolerabile ad demittendum animum aut nimis laetabile ad efferendum videri potest» y en IV,17,38: «Atque idem ita acrem in omnes partes aciem intendit, ut sem-

---

[32] *te dicta:* 'te inspira' como latinismo semántico (Lapesa, 121).

[33-35] *lo antiguo iguala y pasa el nuevo estilo:* como señala Alarcos (1983, 63), se refiere a la poesía latina de Grial. Se puede proponer la siguiente paráfrasis: 'escribe a tu gusto poesía latina que iguala a la de los antiguos y supera a la romance'

[36-37] Cfr. Ovidio, *Tris.* 1,1,39-42: «Iactor in indomito profundo... me mare, me fera iactat hiems».

per videat sedem sibi ac locum sine molestia atque angore vivendi, ut, quemcumque casum fortuna invexerit, hunc apte et quiete ferat: quod qui faciet non aegritudine solum vacabit, sed etiam perturbationibus reliquis omnibus.» Y el mismo Fray Luis glosa el tema en *Los Nombres de Cristo* con dependencia textual de Cicerón en algunas expresiones (pág. 603):

Porque, a la verdad, ¿qué es lo que hay en el cuerpo que sea poderoso para desasosegar a quien es regido por una voluntad y razón semejante? ¿Por ventura el deseo de los bienes de esta vida le solicitará o el temor de los males de ello le romperá su reposo? ¿Alterarse ha con ambición de honras o con amor de riquezas; o, con la afición de los ponzoñosos deleites desalentado, saldrá de sí mismo? ¿Cómo le turbará la pobreza al que de esta vida no quiere más que una estrecha pasada? ¿Cómo le inquietará con su hambre el grado alto de dignidades y honras, al que huella sobre todo lo que se precia en el suelo? ¿Cómo la adversidad, la contradicción, las mudanzas diferentes y los golpes de la fortuna le podrán hacer mella al que a todos sus bienes los tiene seguros y en sí? Ni el bien le azozobra, ni el mal le amedrenta, ni la alegría lo engríe, ni el temor le encoge, ni las promesas le llevan, ni las amenazas le desquician, ni es tal que o lo próspero o lo adverso le mude.

XII

A FELIPE RUIZ *

¿Qué vale cuanto vee,
do nace y do se pone, el sol luciente,
lo que el Indio posee,

---

* Título: los manuscritos de la familia *Jovellanos* traen: «A Felipe Ruiz. Del moderado y constante.»

[1-20] En la «Epístola de don Diego de Mendoça a Boscán» vv.10-21 hay un desarrollo de este tema similar al de Fray Luis (ed. Riquer, pág. 342):

¿Qué juzgas de la tierra y sus rincones, / del espacioso mar que assí enriquece / los apartados indios con sus dones? / ¿Qué dizes del que por subir

lo que da el claro Oriente
con todo lo que afana la vil gente?   5
El uno, mientras cura
dejar rico descanso a su heredero,

---

padece / la ira del sobervio cortesano / y el desdén del privado cuando crece?
¿Qué del gallardo moço, que leviano / piensa entendello todo y emprender
/ lo que tú dexarías por temprano?
¿Cómo s'an de tomar, cómo entender / las cosas altas y a las que son menos? / ¿Qué gesto les devríamos hazer?

Y también en la «Epístola de Boscán», vv. 262-64: «No tenemos em-
bidia al que está en Roma, / ni a los tesoros de los asianos, / ni a quanto
por acá del India assoma» (*ibid.*, pág. 361).

[1-5] Es un exordio tópico en forma de *Descriptio magni et frequentis
numeri, per comparationes*, cfr. comparaciones similares en R. Textor, *Officina*, págs. 184-85.

[1] *¿Qué vale:* refleja el horaciano: «Quid iuvat?», cfr. Fray Luis «Imitación de diversos» v. 55: «¿Qué vale el beber en vaso de oro»; *vee:* el sujeto de «vee» entiendo que es «el sol luciente».

[3-4] Probablemente alude a las Indias Occidentales (Nuevo Mundo) con
lo que los versos 3-4 serían desglose del 2. Pero el tópico enlaza con las
Indias Orientales de Horacio, *Epist.* I,6,5-7: «quid censes munera terrae
[el oro], quid maris extremos Arabas ditantis et Indos / ludicra [las per-
las]».

[6-20] Desarrolla una serie de conceptos frecuentes en la poesía moral humanística: críticas de la avaricia, de la vida áulica y de la pasión erótica;
cfr. un epigrama de Juan Petreyo (*Magdalenae*, f. 65): «Dum captat capitur ventre vulpecula pleno, / ut capitur captans non bene cautus opes.
/ Dum captat capitur qui spem sectatur in aula / ut caperis captans cerva
sonos. / Dum captat capitur malefida coniuge amator / ut caperis captans aucupis arte volans.» Son los mismos temas que aparecen en la «Epístola a Boscán» vv.10-18 antes citados, y los mismos que Fray Luis glosa
en *Los Nombres de Cristo* (págs. 452-53):

> Que si consideramos lo que suda el avariento en su pozo, y las ansias con
> que anhela el ambicioso a su bien, y lo que cuesta de dolor al lascivo el de-
> leite, no hay trabajo ni miseria que con la suya se iguale. Y lo segundo, nom-
> bra las *cisternas secas* y *rotas*, grandes en apariencia y que convidan a sí
> a los que de lejos las ven, y les prometen agua que mitiga su sed; mas en
> la verdad son hoyos hondos y obscuros, y yermos de aquel mismo bien que
> prometen, o, por mejor decir, llenos de lo que le contradice y repugna, por-
> que en lugar de agua dan cieno. Y la riqueza del avaro le hace pobre; y al
> ambicioso su deseo de honra le trae a ser apocado y vil siervo; y el deleite
> deshonesto a quien lo ama le atormenta y enferma.

Son temas que se encuentran también dispersos en el pasaje luisiano
citado en la Introducción a esta oda.

[6-10] Cfr. Horacio, *Epist.* 1,5,12-14: «quo mihi fortunam, si non conceditur
uti? / parcus [perdona] ob heredis curam [mientras cura...a su heredero]

vive en pobreza dura
y perdona al dinero
y contra sí se muestra crudo y fiero;   10
    el otro, que sediento
anhela al señorío, sirve ciego
y, por subir su asiento,
abájase a vil ruego
y de la libertad va haciendo entrego.   15
    Quien de dos claros ojos
y de un cabello de oro se enamora,
compra con mil enojos
una menguada hora,
un gozo breve que sin fin se llora.   20
    Dichoso el que se mide,
Felipe, y de la vida el gozo bueno

---

nimiunque severus [vive en pobreza dura] / adsidet insano [literalmente
'está cerca del loco furioso' o en paráfrasis luisiana 'que contra sí se muestra crudo y fiero']»; cfr. también Hor. IV,7,19-20.

[11-15] La crítica del cortesano es frecuente en poesía humanística. Cfr.
por ejemplo el epigrama de T. Moro «Ad Aulicum» (Opera, Lovaina,
1566, f.27) o el «Alphabetum Aulicum» de Johannes Neander, donde se
ice (vv. 15-16): «Porta Eribi in terris aula et tua, Tantale, poena est [que
sediendo anhela] / Questus adulari et mentiri primus in aula» y otros textos en J. Oberg, Notice et extrait du manuscrit Q 19 (XXIe S.) de Sträng-
näs, Uppsala, 1968, 48-49.

[12] ciego: el que se somete a las pasiones es ignoratione sui caecus ('ciego por desconocerse a sí mismo'), Panegyricus Divo Augustino, pág. 374.

[16-20] Cfr. La Perfecta Casada (pág. 338): «Pues ¡bueno es que por el gusto de los ojos ligero y de una hora, quiera un hombre cuerdo hacer amargo el estado en que ha de perseverar cuanto lo perseverare la vida;»

[16-17] Cfr. Garcilaso, Egl. II,20: «o claros ojos, o cabellos d'oro» aunque
es expresión trivial.

[21-25] Cfr. Nombres (págs. 455-56):

> Porque cierto es que el verdadero pasto del hombre está dentro del mismo
> hombre, y en los bienes de que es señor cada uno... [y en cita de Epicteto]
> las cosas que están en nuestra mano son libres de suyo, y que no padecen
> estorbo ni impedimento; mas las que van fuera de nuestro poder son flacas
> y siervas, y que nos pueden ser estorbadas, y al fin son ajenas todas.

Y en Panegyricus Divo Aug., pág. 370:

> Qua una re differt sapiens ab stulto. In corde prudentis requiescit sapientia,
> dicebat Salomon, verissimeque dicebat: quoniam [sapientia]... non exter-
> narum rerum...cognitione continetur..., sed illapsa penitus in animun sese-

a sí solo lo pide,
y mira como ajeno
aquello que no está dentro en su seno.   25
   Si resplandece el día,
si Éolo su reino turba, ensaña,
el rostro no varía
y, si la alta montaña
encima le viniere, no le daña.   30
   Bien como la ñudosa
carrasca, en alto risco desmochada
con hacha poderosa,
del ser despedazada
del hierro torna rica y esforzada;   35
   querrás hundille y crece

_____

que pectori insinuans et usque ad intimos illius recessus clarissimum lumen transmitens, in corde sapientis [en su seno] sedem atque domicilium habet, inque eo illustrando et ipse se ut cognoscat [el que se mide] efficiendo, praecipue versatur.

[21] *el que se mide:* cfr. *Exposición de Job* (pág. 1040): «La medianía, al medirse cada uno consigo es loado por todos»; y Hor. *Epist.* I,7,98: «metiri se quemque suo modulo ac pede verumst».

[26-30] Cfr. Horacio, *Od.* III,3,3-8: «Non voltus instantis tyranni / mente quatit solida neque Auster, / dux inquieti turbidus Hadriae, / ... si fractus inlabatur orbis, / inpavidum ferient ruinae»; y también Garcilaso, *El.* I,187-199 sobre el mismo pasaje horaciano.

[28] *el rostro:* cfr. Boecio, *De cons.* I,4,2-3: «fortunamque tuens utramque rectus / invictum potuit tenere vultum» (May-Sarmiento).

[31-35] Es el escudo que utilizó en las portadas de algunas ediciones suyas. Se trata de un escudo ovalado en el que aparece un árbol con ramas podadas y otras sin cortar y llenas de hojas; al pie, hay un hacha y rodeándolo todo el lema: *ab ipso ferro.* Procede de Horacio IV,4,57-60: «duris ut ilex tonsa bipennibus / nigrae feraci frondis in Algido, / per damna, per caedis.» Fray Luis tradujo y explicó este escudo en varios textos: *Exposición de Job,* cap. 8,19 (págs. 921-22) y en la *Expositio in Abdiam,* número 8 *(Opera,* III,106). Por el tono desafiante de este escudo fue denunciado Fray Luis a la Inquisición en 1580, pero el Inquisidor Quiroga sobreseyó la causa. La costumbre de tomar sentencias horacianas como divisas estaba muy difundida en el Renacimiento, cfr. E. Stemplinger, *Horaz im Urteil der Jahrhunderte,* Leipzig, 1921, págs. 31-32.

[36-40] Cfr. Horacio IV,4,61-67; para Horacio los romanos renacen a partir de sus derrotas, como la «ñudosa carrasca», como la hidra (vv.61-62), como los guerreros nacidos de los dientes del dragón que mató Cadmo (63-64) y sigue diciendo de ellos: «Merses profundo, pulchrior evenit; / luctere, multa proruet integrum / cum laude victorem.»

mayor que de primero y, si porfía
la lucha, más florece
y firme al suelo invía
al que por vencedor ya se tenía.   40
    Esento a todo cuanto
presume la fortuna, sosegado
está y libre de espanto
ante el tirano airado,
de hierro, de crueza y fuego armado;   45
    «El fuego —dice— enciende;
aguza el hierro crudo, rompe y llega
y, si me hallares, prende
y da a tu hambre ciega
su cebo deseado, y la sosiega;   50
    ¿qué estás? ¿no ves el pecho
desnudo, flaco, abierto? ¿Oh, no te cabe
en puño tan estrecho

---

    [44] *tirano airado:* cfr. Horacio III,3,3 citado: el tirano es una figura tó-
pica frente al varón justo; cfr. Boecio, *De cons.* I,4, vv.11-14: «quid tantum miseri saevos tyrannos / mirantur sine viribus furentes?», y véase
también la oda XVI.

[46-61] Cfr. Prudencio, *Peristephanon,* V. (Himno a san Vicente),
vv.165-173, refiriéndose al hombre interior y dirigiéndose al verdugo:
«Quin immo nunc enitere / illum secare ac plectere, / qui perstat intus,
qui tuam / calcat, tyranne, insaniam! / Hunc, hunc lacesse, hunc discute,
/ invictum, inexsuperabilem, / nullis procellis subditum / solique subiectum deo!»; quizá detrás de «el pecho / desnudo...abierto?» esté el morboso
tormento de 113-120: «Posthinc hiulcis ictibus / nudate costarum abdita,
/ ut per latebras vulnerum / iecur retectum palpitet. / Ridebat haec mi-
les dei / manus cruentas increpans, / quod fixa non profundius intraret
artus ungula.» Es un tema de filosofía antigua y cristiana: la impasibili-
dad y la indiferencia del hombre ante el dolor. Según las escuelas estoicas
y epicúreas el dolor es relativo y el hombre sabio debe superar por medio
de la virtud el sufrimiento y hacerse insensible. Véase un tratamiento amplio del tema en *Tusc.* II de Cicerón: sobre las relaciones de martirio cristiano y estoicismo cfr. P. Jordán de Urríes en nota a Epicteto, *Pláticas
por Arriano,* IV, Barcelona, 1973. pág. 88, n. 1.

    [51] *qué:* equivale a *quid* 'por qué te detienes' (Lapesa, pág. 114). Medra-
no lo utiliza así también (II,104).

    [52] *flaco:* cfr. los rasgos del hombre sabio protegido por la virtud en
XV,36-49, y especialmente: «mil aceradas, / mil puntas de diamante / embota y enflaquece». 'Flaco' y 'enflaquece' tienen relación aunque sean de
significados contrarios.

el corazón, que sabe
cerrar cielos y tierra con su llave?;   55
      ahonda más adentro;
desvuelva las entrañas el insano
puñal; penetra al centro;
mas es trabajo vano,
jamás me alcanzará tu corta mano.   60
      Rompiste mi cadena,
ardiendo por prenderme: al gran consuelo
subido he por tu pena;
ya suelto encumbro el vuelo,
traspaso sobre el aire, huello el cielo.»   65

XIII

Como señala K. Maurer, la oda surge del Salmo 22 (aunque el sincretismo de materiales es más amplio, cfr. R. Ricard, págs. 124-128):

Dominus regit me, et nihil mihi deerit:
In loco pascuae ibi me collocavit.
Super aquam refectionis educavit me,
Animam meam convertit.
Deduxit me super semitas iustitiae,
Propter nomen suum.
Nam, et si ambulavero in medio umbrae mortis,
Non timebo mala, quoniam tu mecum es.

---

[55] *cerrar:* 'encerrar'.

[57] *desvuelva:* forma apocopada por 'desenvuelva'. Fray Luis la utiliza en *La Perfecta Casada* en el sentido de arar, atravesar la tierra: «El hombre que tiene fuerzas para desvolver la tierra, y para romper el campo» (*Dicc. Aut.*).

[61] Es la cadena de las pasiones, cfr. Boecio, *De cons.* I,4, v.18: «Quisquis trepidus pavet vel optat...nectit, qua valeat trahi, catenam» y III,12, vv.3-4: «Felix qui potuit gravis / terrae solvere vincula».

[65] *aire: = aether,* o sea las diferentes esferas hasta llegar al mismo cielo (cfr. la anotación a III,16 y X,3).

Virga tua, et baculus tuus,
Ipsa me consolata sunt.
Parasti in conspectu meo mensam,
Adversus eos qui tribulant me;
Impinguasti in oleo caput meum;
Et calix meus inebrians quam praeclarus est!
Et misericordia tua subsequetur me
Omnibus diebus vitae meae:
Et ut inhabitem in domo Domini,
In longitudinem dierum.

A su vez es también síntesis de conceptos fundamentales del nombre «Pastor» de *Los Nombres de Crsito*. El tema, como el del nombre «Pastor», no es tanto la vida del cielo cuanto el reflejo de esa vida en nuestra alma. Pues Cristo, como pastor, se mueve no sólo en el nivel de la vida celestial, sino que también vive en nosotros (pág. 456): «Así Dios con justa causa pone a Cristo, que es su Pastor, en medio de las entrañas del hombre, para que, poderoso sobre ellas, guíe sus opiniones, sus juicios, sus apetitos y deseos al bien... y se cumpla de esta manera lo que el mismo profeta dice: 'que serán apacentados en todos los mejores pastos de su tierra propia'.» Por eso es «pastor y pasto él solo, y suerte buena» (v.20). También según Fray Luis esa función del pastor coincide con las enseñanzas del estoicismo, especialmente el principio de limitarse a lo que nos es propio; y tras larga cita del *Enchiridion* de Epicteto, señala que (pág. 456) «por cuanto la buena suerte (= «suerte buena», v. 20) del hombre consiste en el buen uso de aquellas obras y cosas de que es señor enteramente, todas las cuales obras y cosas tiene el hombre dentro de sí mismo y debajo de su gobierno, sin respeto a fuerza exterior; por eso el regir y el apacentar al hombre es el hacer que use bien de esto que es suyo y que tiene encerrado en sí mismo». El anhelo de la vida del cielo es también una búsqueda o iluminación interior en este mundo. Es una búsqueda de la unidad del hombre guiado por el pastor «porque su oficio todo es hacer unidad» (pág. 457). Es una unidad de amor platónico que lleva a «convertir toda el alma» (vv.34-35) en el amado. Y por eso dice (458-59):

Pastor que es pasto también y que su apacentar es darse a sí a sus ovejas. Porque el regir Cristo a los suyos y el llevarlos al pasto, no es otra cosa sino hacer que se lance en ellos y que se embeba y que se incorpore su vida, y hacer que con encendimientos fieles de caridad le traspasen sus ovejas a sus entrañas, en las cuales traspasado, muda El sus ovejas en sí. Porque, cebándose ellas de El, se desnudan a sí de sí mismas y se visten de sus cualidades de Cristo: y creciendo con este dichoso pasto el ganado, viene por sus pasos contados a ser con su Pastor una cosa.

XIII

DE LA VIDA DEL CIELO*

Alma región luciente,
prado de bienandanza, que ni al hielo
ni con el rayo ardiente
fallece, fértil suelo,
producidor eterno de consuelo;   5
de púrpura y de nieve
florida, la cabeza coronado,
a dulces pastos mueve,
sin honda ni cayado,

---

* La familia *Jovellanos* trae «Morada del cielo».
[1] *Alma región:* es un inicio que aparece en Petrarca (*Canz.* CLXXXVIII,1: «Almo sol») sobre Horacio, *Carm. Saec.* 9: «Alme Sol, curru nitido»; cfr. Lucio Flaminio Sículo (f.a1): «Alme Deus, summa qui maiestate verendus». «Alma» en el sentido de 'nutricia', 'vivificadora' es frecuente en la poesía petrarquista, cfr. P. Bembo, *Rime,* 136,2 (ed. Dionisotti, pág. 617): «Alma bellezza».
[6-7] Refleja la descripción del amado del Cantar de los Cantares, V,10, que es «blanco y colorado». J. M. Millás Vallicrosa (págs. 278-79) sugiere que Fray Luis describe aquí la aureola de luz y claridad fulgurante con que la poesía sagrada hebraicoespañola imagina la llegada del Mesías; *de púrpura y de nieve / florida:* = 'florecida por púrpura y nieve', cfr. *Apocalypsis,* 1,14.
[7] *la cabeza coronado:* calca una construcción de acusativo griego, cfr. XI,14.

142

el buen Pastor en ti su hato amado;   10
   él va y en pos dichosas
le siguen sus ovejas, do las pace
   con inmortales rosas,
   con flor que siempre nace
y cuanto más se goza más renace;   15
   y dentro a la montaña
del alto bien las guía; ya en la vena
   del gozo fiel las baña
   y les da mesa llena,
pastor y pasto él solo, y suerte buena.   20
   Y de su esfera cuando
la cumbre toca, altísimo subido,
   el sol, él sesteando,
   de su hato ceñido,
con dulce son deleita el santo oído;   25
   toca el rabel sonoro,
y el inmortal dulzor al alma pasa,
   con que envilece el oro
   y ardiendo se traspasa
y lanza en aquel bien libre de tasa.   30
   ¡Oh son! ¡oh voz! ¡siquiera

---

[10] *hato:* h aspirada.

[12] *pace:* con el significado latino de 'alimentar' *(pasco),* cfr. Lapesa, pág. 122.

[18] *gozo fiel:* = 'gozo prometido, seguro' (Macrí); o mejor 'gozo de la fe' por una adjetivación del sustantivo 'fe' (como en *nupta verba dicere = verba nuptae)* enlazando con las palabras del *Evangelio, Mt.* 25,21: «Euge, serve bone et *fidelis;* intra in *gaudium* Domini tui».

[20] *pastor y pasto:* cfr. los textos aducidos en la introducción a esta oda.

[22] *altísimo:* superlativo relativo, 'en su mayor altura', cfr. X,15 (Lapesa, pág. 126).

[24] *ceñido:* 'acompañado', como en Ovidio, *Trist.* 1,4,30: «Agminibus comitum qui modo *cinctus* erat» (Lapesa, pág. 122).

[25-26] *deleita el santo oído; / toca el rabel sonoro:* es el «son sagrado» de III,24, que produce la «inmensa cítara».

[28] *envilece el oro:* «el oro» es complemento objeto de «envilece». El sujeto es el alma.

[29-30] *traspasa / y lanza en aquel bien:* cfr. III,16: «traspasa el aire todo». Sobre el sentido de estos versos cfr. el último texto citado en la Introducción a esta oda.

pequeña parte alguna decendiese
en mi sentido, y fuera
de sí el alma pusiese
y toda en ti, oh Amor, la convirtiese!;   35
    conocería dónde
sesteas, dulce Esposo, y, desatada
desta prisión adonde
padece, a tu manada
viviera junta, sin vagar errada.   40

XIV

La mayoría de los editores la fechan después de la cárcel
o al acabar el primer proceso. Algunos versos, como 9-10,
ó 20: «el mal no merecido», etc., parecen aludir a ese momento.

El «seguro puerto» y «reposo dulce» es el *otium* al que
aspiran estoicos y epicúreos. Es el *otium* de que habla Horacio en *Od.* II,16: «Otium diuos rogat». Ese *otium* puede

---

[35] *y toda en ti...la convirtiese!:* cfr. *Nombres*, 458-59, antes citado; la
transformación amorosa en el objeto amado es una idea platónica de larga tradición, cfr. J. Orcibal, «Une formule de l'amour extatique de Platon
à Saint Jean de la Croix et au Cardinal de Bérulle», *Mélanges offerts à E.
Gilson,* Toronto-París, 1959, págs. 447-463; F. Rico, *Vida u obra de Petrarca,* Chapel Hill, 1974, pág. 220; y sobre el uso de la imagen en la poesía amorosa en España, cfr. *id.* «De Garcilaso y otros petrarquismos», *Revue de Literature Comparée,* LII, 1978, págs. 7-14. El Amor es quizá el
Espíritu Santo (cfr. VIII,69), expresión del «increíble amor» inspirador,
según Fray Luis, del erotismo del *Cantar de los Cantares* (*Nombres,* página 445).

[36-40] Cfr. *Los Nombres de Cristo,* págs. 447-448: «Bien y con razón le
conjura a este pastor la Esposa pastora, que le demuestre aqueste lugar
de su pasto. *Demuéstrame,* dice [*Cant.,* 1,6] *¡oh querido de mi alma!, adónde apacientas y adónde reposas en el medio día.* Que es con razón medio
día aquel lugar que pregunta, adonde está la luz no contaminada en su
colmo, y adonde, en sumo silencio de todo lo bullicioso, sólo se oye la voz
dulce de Cristo, que, cercado de su glorioso rebaño, suena en sus oídos de
El sin ruido y con incomparable deleite, en que, traspasadas las almas santas y como enajenadas de sí, sólo viven en su Pastor.» Sobre el concepto
escatológico de «siesta», cfr. R. Ricard (págs. 125-126).

ubicarse en La Flecha, la granja de los agustinos en las afueras de Salamanca, pero es un concepto filosófico y una actitud ética en la que la geografía tiene poco que ver. En la lírica castellana anterior a Fray Luis no aparece excepto en contados textos como la «Epístola a Mendoça» de Boscán o en la paráfrasis garcilasiana del épodo II de Horacio. En cambio, en la poesía de tema moral neolatina es muy frecuente, incluso en formas abiertamente cristianizadas, como en M. A. Flaminio *(Carmina Quinque,* páginas 306-307), «Ad Stephanum Saulium»:

> Ne tu beatum dixeris, optime
> Sauli, superbo limine civium
> Qui prodit hinc et hinc caterva
> Nobilium comitante cinctus.
>
> ......
>
> Sed tu beatum iure vocaveris
> Qui mente pura rite Deum colit,
> Eiusque iussa ducit amplis   15
> Divitiis pretiosiora;
> Non ille vulgi gaudet honoribus,
> Sed carus ipsi numinis est honos,
> Pro quo tuendo non recusat
> Dedecorum genus omne ferre.   20
> Quin et relictis coetibus urbium
> Mens eius altum transvolat aethera
> Deique summi coelitumque
> Colloquio fruitur beato.
> Coelestis ergo iam sapientiae   25
> Plenus, periclis altior omnibus
> Quiescit in Deo, furentum
> Despiciens hominum tumultus.
> Sic proeliantes aequore turgido
> Ventos reducto montis in angulo   30
> Miratur et gaudet procella
> Terribili procul esse pastor.

Y en otra composición sin título, el mismo Flaminio puede exhortar a un amigo *(ibid.* pág. 305): «Ergo relictis navibus et mari / Ad tuta ruris te refer ocia, / Insanientis et procellae / Dirum alii paveant furorem.»

XIV

AL APARTAMIENTO

¡Oh ya seguro puerto
de mi tan luengo error! ¡oh deseado
para reparo cierto
del grave mal pasado!
¡reposo dulce, alegre, reposado!;   5
   techo pajizo, adonde
jamás hizo morada el enemigo
cuidado, ni se asconde
invidia en rostro amigo,
ni voz perjura, ni mortal testigo;   10
   sierra que vas al cielo
altísima, y que gozas del sosiego
que no conoce el suelo,
adonde el vulgo ciego
ama el morir, ardiendo en vivo fuego: 15
   recíbeme en tu cumbre,

---

¹ *Seguro puerto:* cfr. Persio, VI,9-12: «Lunai portum, est operae, cog-
noscite cives... hic ego securus volgi et quid praeparet Auster / infelix pe-
cori, securus et...»; y Boecio, *De cons.,* III,10,69, vv.6-7: «Hic portus pla-
cida manens quiete, / Hoc patens unum miseris asylum»; véase también
Garcilaso, *C.* V,54-55: «que ya del peligroso / naufragio fuy su puerto y
su reposo.»

² *error:* como en latín *error,* 'pérdida del camino correcto', 'desvío'.

⁵ *reposo dulce: otium dulce.*

⁶ *techo pajizo:* es posible que la casita de La Flecha tuviera el techo de
paja, pero aquí es una imagen del estoicismo; cfr. Séneca, *Ad Luc.* VIII,5,
hablando justamente del retiro y del *otium:* «scitote tam bene hominem
culmo quam auro tegi»; la misma idea aparece en XVII,50 y es un tópico,
cfr. Quevedo, «A un amigo que retirado de la corte pasó su edad», v. 4:
«De paja el techo, el suelo de espadaña», *Poesía original,* ed. J. M. Blecua,
Barcelona, 1971, p. 56, n. 60.

¹¹⁻¹⁶ *Sierra:* desde La Flecha se veía una sierra a la que puede aludir
aquí. Pero es también un símbolo frecuente en Fray Luis, cfr. II,21-23.

⁵ *ardiendo:* cfr. I,77.

146

recíbeme, que huyo perseguido
la errada muchedumbre,
el trabajar perdido,
la falsa paz, el mal no merecido;   20
   y do está más sereno
el aire me coloca, mientras curo
los daños del veneno
que bebí mal seguro,
mientras el mancillado pecho apuro;   25
   mientras que poco a poco
borro de la memoria cuanto impreso
dejó allí el vivir loco
por todo su proceso
vario entre gozo vano y caso avieso.   30
   En ti, casi desnudo
deste corporal velo, y de la asida
costumbre roto el ñudo,
traspasaré la vida
en gozo, en paz, en luz no corrompida;   35
   de ti, en el mar sujeto
con lástima los ojos inclinando,
contemplaré el aprieto
del miserable bando,
que las saladas ondas va cortando: 40
   el uno, que surgía
alegre ya en el puerto, salteado

---

[17] *huyo:* transitivo, cfr. XVI,14.

[23-24] Es el mismo bebedizo de IX,1-6.

[25] *apuro:* 'purifico'.

[31-32] *desnudo deste corporal velo:* cfr. X,1-5.

[33] *roto el ñudo:* cfr. V,23.

[35] *luz no corrompida:* cfr. X,7.

[36-60] La imagen del hombre salvado de la tormenta que mira el desespero de los otros náufragos aparece también en I,66-70. Es una imagen muy difundida (cfr. el texto citado de Flaminio, vv.29-32). Aparece en Horacio *(Od.* I,5,13-16 y III,29,56-64) y Lucrecio (II,1-13). Senabre remite a san Juan Cristóstomo *(BAC,* 169, pág. 375). Para la descripción de la tormenta importa la traducción del *Salmo* CVI, vv.69-85 (pág. 1666).

[36] *sujeto:* latinismo semántico con el valor de *subiectum* 'levantado' (Lapesa, págs. 121-122).

[40] Cfr. Virgilio, *Aen.* I,35: «spumas salis aere ruebant».

de bravo soplo, guía,
apenas el navío desarmado;   45
    el otro en la encubierta
peña rompe la nave, que al momento
el hondo pide abierta;
al otro calma el viento;
otro en las bajas Sirtes hace asiento;   50
    a otros roba el claro
día, y el corazón, el aguacero;
ofrecen al avaro
Neptuno su dinero;
otro nadando huye el morir fiero.   55
    Esfuerza, opón el pecho,
mas ¿cómo será parte un afligido
que va, el leño deshecho,
de flaca tabla asido,
contra un abismo inmenso embravecido?   60
    ¡Ay, otra vez y ciento
otras seguro puerto deseado!
no me falte tu asiento,
y falte cuanto amado,
cuanto del ciego error es cudiciado.   65

---

⁴⁸ *pide: petit,* 'se dirige'.

⁴⁹ *al otro calma el viento:* ='para el otro el viento se pone en calma'.

⁵⁰ *sirtes:* peligrosos bancos de arena.

⁵¹⁻⁵⁴ Cfr. Horacio, *Od.* III,29,57-61: «Non est meum, si mugiat Africis / malus procellis [el aguacero], ad miseras preces / decurrere et votis pacisci [roba el claro día y el corazón] / ne Cypriae Tyriaeque merces / addant avaro divitias mari [y ofrecen al avaro Neptuno su dinero]»; cfr. I,66-70 y el pasaje virgiliano allí citado.

⁵⁶ Macrí corrige «opone». Prefiero conservar la lectura «opón» que trae uno de los manuscritos de la familia *Quevedo* (A) y el *S. Felipe* («oppón»).

⁵⁷ *Será parte:* 'parte defensora'. cfr. XXI,42.

⁵⁸ *leño:* cfr. I,62-65.

XV

La oda se relaciona por su contenido con Horacio I,22.
«El hombre justo y bueno», que tradujo Fray Luis y editó
el Brocense en su *Comentario* a Garcilaso (1574). Entiendo, por tanto, que el poema es anterior a esa fecha.

XV

A DON PEDRO PORTOCARRERO

No siempre es poderosa,
Carrero, la maldad, ni siempre atina
la envidia ponzoñosa,
y la fuerza sin ley que más se empina
al fin la frente inclina;   5
que quien se opone al cielo,
cuando más alto sube, viene al suelo.

[1-2] *No siempre ...ni siempre:* reproduce un esquema inicial horaciano,
Od. II,9,1: «Non semper imbres nubibus hispidos». La idea de que el mal
tiene siempre un fin se repite en otra oda horaciana, la II,10,16: «Non,
si male nunc, et olim / sic erit...neque semper arcum / tendit Apollo.»
El esquema fue muy imitado, cfr. cercano a Fray Luis, Flaminio, *Carmina
Quinque,* pág. 116: «Non semper rapido Cynthia belvas / cursu persequitur, nec miseris solet / semper lethiferum Delius impiger / Arcum tendere gentibus»; y también Erasmo *(Opera,* VIII, Lyon, 1705, col. 571) «Ad
amicum suum»: «Non semper faciem nubila coelicam / Abscondunt madidis obvia molibus, / Non usque implacido defluus aethere / Imber vexat humum gravis. / Nec semper crepitans Africus excita / Attolit tumidis aequora fluctibus, / Sed nec continue mota procacibus / Stridet sylva
Aquilonibus, / Nec semper steriles nix tegit alta agros.»
[1-7] El punto de partida es Horacio III,4,65: «vis consilii expers [la fuerza sin ley] mole ruit sua». Pero también refleja conceptos de Claudiano,
In Ruf. I,12-13: el poeta cree que sobre la tierra reina el mal, que los malvados gozan y los virtuosos son oprimidos «adspicerem laetosque diu florere nocentes / vexarique pios»; pero el ejemplo del malvado Rufino le
ha demostrado lo contrario (vv.21-23): «iam non ad culmina rerum /
iniustos crevisse queror; tolluntur in altum, / ut lapsu graviore ruant [que
cuando más alto sube, viene al suelo]».

Testigo es manifiesto
el parto de la Tierra mal osado,
que, cuando tuvo puesto   10
un monte encima de otro, y levantado,
al hondo derrocado,
sin esperanza gime
debajo su edificio que le oprime.
    Si ya la niebla fría   15
al rayo que amanece odiosa ofende
y contra el claro día
las alas escurísimas estiende,
no alcanza lo que emprende,
al fin y desparece,   20
y el sol puro en el cielo resplandece.

[8-14] Sigue con Horacio III,4,69-75: «Testis ['testigo es verdadero' traduce Fray Luis] mearum centimanus gigas / sententiarum... Iniecta mons-
tris *Terra* dolet suis / maeretque *partus* fulmine luridum / missos ad Or-
cum [al hondo derrocado]...» y en la misma oda (51-52): «fratresque ten-
dentes opaco / Pelion imposuisse Olympo,» referido a los gigantes Heca-
tonquiros; quizá tuviera presente también a Virgilio, *G.* I,278-81. «El
parto de la tierra» se refiere a estos gigantes que intentaron asaltar el cielo amontonando el monte Osa sobre el Olimpo y el Pelión sobre el Osa.
Intentaron además violar a varias diosas y Júpiter los castigó con su rayo
y «abriendo la tierra, los puso debajo della; poniéndoles encima unos grandes y pesados montes.» (Cfr. Pérez de Moya, I, pág. 79).

[13] *gime:* alude a que los gigantes, y concretamente el enorme Tifeo que
está debajo de Sicilia, «cuando se cansa de estar de una parte tendido, que-
riéndose volver, cansado de tener sobre sí tanto peso, porfía para mudar-
se, y así, se mueven las ciudades de la isla» (Pérez de Moya I,83), M. Morreale (1985, pág. 357) remite a los gigantes bíblicos *(Job* 26,5 y *Pro.* 9,18).

[15-20] *Si ya...:* introduce la subordinada (vv. 15-18) concesiva (=*etiamsi*)
cuya principal está en vv. 19-21. Alarcos (1981, págs. 14-15) propone una
puntuación distinta (pone coma tras «resplandece») y considera vv.15-21
como prótasis y 22-28 como apódosis de una larga oración condicional.
Pero creo que es buscar una lógica en algo que no la tiene, por lo menos
en el nivel de la estructura gramatical. Más bien en Fray Luis las comparaciones tienen un carácter autónomo que rompe con la continuidad narrativa y lógica, cfr. por ej, XXII,43-48 o X,36-50; M. Morreale (1985)
remite para estos versos a *Sab.* 2,3: «et transibit vita nostra tanquam ves-
tigium nubis et sicut nebula dissolvetur, queae fugata est a radiis solis et
a calore illius aggravata».

[20] *al fin y desparece:* hipérbaton de «y»: 'y al fin desparece'. Fray Luis
utiliza este tipo de hipérbaton en otros textos como señala Llobera: en la
traducción de Píndaro, 216: «Fortísima y me tira» y en la trad. de la *An-*

No pudo ser vencida,
ni la será jamás, ni la llaneza
ni la inocente vida
ni la fe sin error ni la pureza,   25
por más que la fiereza
del Tigre ciña un lado,
y el otro el Basilisco emponzoñado;
    por más que se conjuren
el odio y el poder y el falso engaño,   30
y ciegos de ira apuren
lo propio y lo diverso, ajeno, estraño,
jamás le harán daño;
antes, cual fino oro,
recobra del crisol nuevo tesoro.   35

---

drómaca, fragm. 2: «Mas ésta con el tiempo se marchita, / su flor y seca queda.» El agustino imita la inversión de *et* o *atque* frecuente en poesía latina como licencia (cfr. por ej. Hor., *Sat.* I,6,131).

[23] *llaneza:* refleja la *simplicitas* evangélica *(Act.* 2,46) y la *nudaque veritas* de Hor. I,24,7; cfr. trad. del *Salmo* XXIV,102: «valdráme la verdad y la llaneza»; XVII,58-59 (parafraseando el mismo verso de Horacio); «la luciente / verdad, la sencillez en pechos de oro.»; y *Exvoto,* v. 6.

[24] *Inocente vida:* cfr. *Salmo* XXIV,21: «Innocentes et recti adhaeserunt mihi» y XXV,1: «Ego in innocentia mea ingressus sum». Es la misma inocencia que aparece en la iconografía del Renacimiento, como la «Inocencia» de Angelo Bronzio; cfr. S. Sebastián, *Arte y Humanismo,* Madrid, 1978, pág. 244.

[25] *la fe sin error:* es la *incorrupta Fides* de Hor., *Od.* 1,24,7; significa la lealtad que se mantiene sin desvío además del sentido religioso que se le pueda añadir.

[27-28] Cfr. *Jer.* 8,17: «Quia ecce ego mittam vobis serpentes regulos»; Salmo 90,13 «Super aspidem et basiliscum ambulabis».

[27] *ciña un lado:* calcada sobre *cingere latus,* como en Ovidio, *P.* IV,9,19: «latus cingit tibi turba senatus».

[31-33] Macri *(Poesie,* Florencia, 1964) traduce «e ciechi d'ira tentino il lecito, l'assurdo, l'illegale». Macrí, como Dámaso Alonso *(Obras Completas,* 4, pág. 821), lo entiende como alusión a los métodos inquisitoriales que sufrió el poeta. Morreale (1985, pág. 355) interpreta más correctamente «apuren» como 'acosen', 'apremien' y considera «lo propio y lo diverso» como el sujeto de «le harán daño». Y según esta investigadora «lo propio y lo diverso» aludiría a sus propias obras y a las obras de cuya frecuentación asidua se le acusaba. Sin duda, «lo propio y lo diverso» puede tener ese significado concreto, pero también significa, en el marco de la filosofía estoica, 'las cosas que os son propias' y 'las que nos son ajenas y no dependen de nosotros'; cfr. Epicteto, *Enchiridion,* I,1-5.

El ánimo constante,
armado de verdad, mil aceradas,
mil puntas de diamante
embota y enflaquece y, desplegadas
las fuerzas encerradas,   40
sobre el opuesto bando
con poderoso pie se ensalza hollando;
    y con cien voces suena
la Fama, que a la Sierpe, al Tigre fiero
vencidos los condena   45
a daño no jamás perecedero;
y, con vuelo ligero
veniendo, la Vitoria
corona al vencedor de gozo y gloria.

XVI

Es una invectiva un tanto genérica contra un poderoso
avariento y corrupto, concretamente un juez, como apunta
el título. No es posible fecharla con precisión. De todas formas cualquier lector de la época identificaría al «juez avaro» con alguno de los Inquisidores.

El tema y la virulencia verbal recuerdan las composiciones humanísticas «In tyrannos», y no es casualidad que Fray
Luis utilice el término en el v.5 De hecho el tirano humanístico es el prototipo de la corrupción espiritual (como lo
es también para Horacio, cfr. I,35,12, o Boecio, *De cons.*
1,4,v,11). Así, epigramas como los de Tomás Moro «Sollicitam esse tyranni vitam» o «Tyrannum in somno nihil di-
ferre a plebeio» o «Dives avarus pauper est sibi» (*Opera,*

---

[36] *el ánimo constante:* es «el hombre de ánimo bien compuesto y que
conserva paz y buen orden consigo» (*Nombres de Cristo,* 594). Se refiere
naturalmente a la *constantia sapientis* de tradición estoica.
[37-38] *mil aceradas / mil puntas de diamante:* 'mil puntas aceradas'
[42] *se ensalza hollando:* cfr. II,22: y *Lc.* 10,19: «Ecce dedi vobis potes-
tatem calcandi supra serpentes».

Lovaina, 1566, ff. 19 y 23) o de L. Flaminio Siculo (f.b1) «Distichon in tyrannum», recubren algunos de los tópicos de este poema luisiano sobre el poderoso corrupto. El tema enlaza también con otros poemas de Fray Luis como la oda XII, donde aparece el tirano airado (v.43) y con la XV. Pero creo que el texto que ilustra mejor esta oda es la presentación del alma del hombre malvado y torpe en el *Panegyricus Divo Augustino* (págs. 376-77):

> Licebit enim et animi illorum arcana attentius intueri. Proh Deum immortalem! foedum atque miserum spectaculum! Quid enim videbis aliud, praeter infinitum agmen curarum, quae miserum hominem in varias partes distrahunt, atque dilacerant? Quid, nisi tumultum, et vociferationem innumerabilium cupiditatum, in animum irruentium, atque aliud ex alio poscentium et flagitantium? Quid, nisi scyllaeum quoddam monstruum, infima inguinum parte succinctum canibus, qui ipsum continenter morsibus appetunt atque conficiunt? Quid, nisi turpem ignorationem sui, errorum densissimas tenebras, vanissimas opiniones, depravata judicia, flagitiorum maculas, sceleris turpissimas notas, et ex conscientia scelerum ortam nubem maeroris perpetui, quae illi misero omne laetitiae atque spei bonae lumen eripiens, amaras voluptates, funestas epulas, ingratam lucem, noctes insomneis reddit; neque insommes modo, sed formidabiles, atque turbulentas? Additur, enim, ad maerorem horror, atque formido, et consternatio quaedam animi, et consternatione mixtus furor, et insania, quarum jugatione atque complexu constat vindex ille scelerum vermis, et animi saevissimus tortor inest, qui ipsum jugiter atque corrodit, torquetque misere, atque eo dementiae vesaniaeque perducit interdum, ut ipse sibi animus videatur haurire oculis tetras et terribiles quasdam species, et collucere omnia taedis ardentibus credat, dirisque et intemperiis agitetur.

Junto a este material hay que colocar también la descripción de los sufrimientos del tirano de la *Exposición de Job,* cap. 15,20-22, y la traducción en verso que reza (pág. 996):

> Pues dice lo que vieron y probaron:
> que el malo siempre tiembla y los tiranos
> de luz segura y cierta no gozaron.

Resuenan de contino con insanos
horrores sus oídos, y al sosiego
más suyo el robador mete las manos.
No espera del escuro tiempo y ciego,
de la espantosa noche salir vivo
y junto con la luz ve el fierro luego.
La mesa a que se allega le es motivo
de espanto miserable, que imagina
envuelto en el manjar bocado esquivo.
De ansias por doquiera que camina,
como rey de sus huestes rodeado
el miedo se le muestra y avecina.

En nuestro poema Fray Luis asume este material y lo
transforma: la figura del tirano avaro sufre ya en vida, como
diría Epicteto, una serie gradual de castigos. Primero vienen los internos, los del alma: el espanto en el sueño
(vv.12-13; = *neque [noctes] insomnes modo, sed formi-
dabiles atque turbulentas?* del *Panegyricus;* las «cuitas» las
luchas intestinas, «agonías» (= *praeter infinitum agmen cu-
rarum, quae miserum hominem in varias partes distrahunt
atque dilacerant);* el constante «despecho», la rabia canina
(=*scyllaeum monstrum);* la falta de «esperanza» y ausencia
de «gozo» (vv.16-17 = *illi misero omne laetitiae atque spei
bonae lumen eripiens);* y las terribles alucinaciones, la Meguera que le llena la habitación de llamas y de azotes (=*eo
dementiae vesaniaeque perducit interdum ut ipse sibi animus videatur haurire oculis tetras species et collucere omnia taedis ardentibus credat).*
Pero junto a los castigos del alma vienen los castigos externos; y es otra fuerza vengadora la que los infiere: el padre Tiempo. El Tiempo revelará la verdad y sumirá en la
pobreza y en la muerte al tirano (vv. 23-38). El poema se
cierra con un último escalón, el triunfo petrarquesco de la
eternidad que supera los castigos del alma individual y los
del Tiempo, y sume al malvado «en males no finibles y en
olvido».

XVI

CONTRA UN JUEZ AVARO*

Aunque en ricos montones
levante el cautivo inútil oro;
y aunque tus posesiones
mejores con ajeno daño y lloro;
y aunque cruel tirano   5
oprimas la verdad, y tu avaricia,
vestida en nombre vano,
convierta en compra y venta la justicia;
    aunque engañes los ojos
del mundo a quien adoras: no por tanto   10
no nacerán abrojos
agudos en tu alma; ni el espanto

---

* Uno de los manuscritos *(Rufrancos)* añade el título: «Imitación de
la Oda 24, libro 3: Insactis opulentior».

¹ *Aunque:* la conjunción repetida anafóricamente procede de Horacio
III,24,3-4: «licet occupes / terrenum omne tuis et mare publicum». El poeta es conscietemente ambiguo con la expresión «ricos montones / levantes». Juega con la imagen de amontonar el oro como el trigo, pero al mismo tiempo «levantes» recuerda un campo semántico distinto, el de levantar edificios (de oro) que es el sentido de *struo* en la fuente horaciana
II,18,18-19: «sub ipsum funus et sepulchri / inmemor struis domos.»; cfr.
también *Exposición de Job,* cap. 15,28 (págs. 992-993).

²⁻⁴ Cfr. Horacio II,18,23-28. La misma idea aparece en la sátira de Juvenal contra los avaros, XIV,141-151, y en *Exposición de Job,* cap. 15
(997): «Mas ni sus muchos bienes mal cogidos». Aunque la práctica de
arrebatar tierras ajenas por parte de un terrateniente no necesita fuente
literaria alguna.

⁵ *cruel tirano:* cfr. Boecio, *De cons.* I,4, vv.11-12: «Quid tantum miseri
saevos tyrannos / Mirantur sine viribus furentes.».

⁷ *vestida:* 'ataviada con el nombre de virtud' *(Llobera).*

¹⁰⁻¹¹ *no por tanto / no nacerán:* quiere decir 'no dejarán de nacer'. Este
esquema se repite en vv.13-14. Es extraño al castellano e intenta reproducir la correlación *non...non* de Horacio III,24,7-8.

¹¹ *abrojos:* cfr. XVII,21; y Garcilaso, *Egl.* III,343.

¹²⁻¹³ *espanto:* Cfr. Hor., III,24,7-8: «non animum metu / non mortis
laqueis expedies caput.»

155

no velará en tu lecho;
ni huirás la cúita y agonía,
el último despecho;   15
ni la esperanza buena en compañía
del gozo tus umbrales
penetrará jamás; ni la Meguera,
con llamas infernales,
con serpentino azote la alta y fiera   20
y diestra mano armada,
saldrá de tu aposento sola una hora;
y ni tendrás clavada
la rueda, aunque más puedas, voladora
del Tiempo hambriento y crudo,   25

---

¹⁴ *huirás:* es transitivo como lo utiliza también Garcilaso, *C.* IV,115.

¹⁶⁻¹⁷ Refiriéndose al que se somete a las pasiones dice en el *Panegyricus Divo Augustino* (pág. 376): «et ex conscientia scelerum ortam nubem maeroris perpetui, quae illi misero omne laetitiae atque spei bonae lumen eripiens.»

¹⁸⁻²² *Meguera:* terrible y enloquecedora Euménide, hija de la Noche, que está al servicio de Júpiter para castigar a los mortales que lo merecen (cfr. Virg., *Aen.* XII, págs. 846-852). Por ese carácter justiciero la saca a relucir Fray Luis. La imagen que da de ella es cercana a la de Séneca, *Herc. Oet.*, 1001-1007 y 1013-1014, donde aparecen reunidos los instrumentos punitivos de azotes, serpientes y antorchas: «Scelus remitto, dexterae parcent tuae / Eumenides ipsae —verberum crepui sonus. / Quaenam ista torquens angue vibrato comam / ... Quid me flagranti dira persequeris face, / Megaera?». Entwistle (1927, 200) pone en relación esta figura (y la Meguera de XX,91-92) con la Tisifone de *Aen.* VI,555,58, que el mismo Fray Luis traduce (*La perfecta Casada,* cap. 15 [pág. 332]): «Thesifone ceñida de crudeza / la entrada, sin dormir de noche y día, / ocupa, suena el grito, la braveza, / el lloro, el crudo azote, la porfía.»

²¹ *diestra mano:* es *dextera manus,* como en la cita anterior de Séneca.

²⁴⁻²⁵ *la rueda voladora / del Tiempo:* Tiempo es una personificación, el padre Tiempo, que se confundía con Saturno desde la tardía Antigüedad. Saturno se asocia con la vejez, la pobreza y la muerte; es maléfico y por eso es «crudo / que viene con la muerte conjurado, / a dejarte desnudo / del oro y cuanto tienes». Se le representa como un viejo alado con guadaña, serpiente que se muerde la cola, etc., y a veces con la rueda del zodíaco, o una rueda simplemente (cfr. E. Panofsky, «El padre Tiempo», en *Estudios de Iconología,* Madrid, 1972, figs. 49 «Saturno» [s.XVI], f.55 «El Triunfo del Tiempo», 58a «El Tiempo con su rondel» de Bernini, págs. 123, 127 y 129). Esa es la «rueda voladora» del Tiempo, aunque «voladora» también podría ser enálage y entenderse 'la rueda del tiempo volador (alado)'. Saturno se come sus propios frutos y por eso es «ham-

que viene, con la muerte conjurado,
a dejarte desnudo
del oro y cuanto tienes más amado;
  y quedarás sumido
en males no finibles y en olvido.   30

XVII

El poema probablemente se escribió en la cárcel o por
lo menos alude a ella. Para cubrir el tono desesperanzado,
Fray Luis deja la forma de la oda y adopta el severo esquema de los tercetos encadenados que Garcilaso ha utilizado
para dos de sus elegías. La forma elegíaca rompe con la tradición de la oda y también aparentemente con el contenido
de exhortación moral de los otros textos. Aquí el poeta se
presenta inmerso en todos los vicios que ha rechazado, empezando por la esperanza. Recuérdese (VIII,33-35): «burlaréis los antojos de aquesa lisonjera vida, con cuanto teme
y cuanto espera». Sin embargo, en realidad, en esta composición Fray Luis advierte con su propio ejemplo *ex contrario* sobre lo que el hombre sabio y constante debe evitar
y su caída en los «afectos» nos sirve de amonestación.
    En la primera parte (1-45) el poeta se nos descubre in
merso en el error y las pasiones en las que no puede ani-
dar el contento. Es el reino de la discordia (compárese la
imagen de la tormenta de vv.7-9 con XXII,43-48); la «noche» que se vela es la misma que la del avaro de V,22, y
el campo que «abrojos solos cría» es el mismo del tirano
de XVI,11. El poeta se finge estupefacto ante la mutabilidad de la naturaleza (v.37) y ante la fuerza del dolor (38)

---

briento» (cfr. Ovidio, *Met.* XV,234: «Tempus edax rerum»). Especialmente en el Renacimiento, el Tiempo se interpreta como una fuerza cósmica reivindicadora de la verdad, a la zaga de la sentencia *veritas filia
temporis* (cfr. E. Panofsky, ob. cit., págs. 107 y ss.). Ese carácter justiciero
del tiempo es el que se esconde detrás de esta figura luisiana formando
una simetría con la figura de Meguera.

como si fuera un *stultus,* un hombre sometido a las pasiones y afectos. Cuando, de hecho, Fray Luis sabe muy bien que la única salida para el hombre es someterse a la naturaleza y enfrentarse al dolor como nos ha enseñado en la figura del mártir estoico de XII,41-65. En realidad Fray Luis, en esta primera parte del poema, no pretende tanto lamentarse por una situación de injusticia o zaherir a sus verdugos, cuanto criticar su propio pensamiento, presentándonoslo vivamente sumido en el error. Es de lo más romántico que puede llegar a escribir un renacentista, un hombre para el que la realidad o lo vivido no tienen ningún valor literario; y es también, para mí, el más hermoso de los poemas del agustino.

La segunda parte (46-63) se presenta en contraposición a la primera como una síntesis de temas fundamentales de las otras odas en torno al *otium* del hombre justo y sabio. Frente a las tormentas y los «abrojos» (21) del error se contrapone la «luz» y «el puro sol» (52-53); frente a «la noche aquí se vela» (23) se oponen «sus noches son sabrosas y seguras» (55), frente a la «captividad» del «pájaro» (42) se opone «la paz con descuido» (62), frente al «triste pecho» (1) está «el gozo, cuyos ojos huye el lloro» (63). Cierra la composición un envío al «contento» que no puede habitar en el corazón del poeta, y Fray Luis lo conmina a morar en el ocio descrito.

XVII

EN UNA ESPERANZA QUE SALIÓ VANA

    Huid, contentos, de mi triste pecho;
¿qué engaño os vuelve a do nunca pudistes
tener reposo ni hacer provecho?
    Tened en la memoria cuando fuistes
con público pregón, ¡ay!, desterrados   5

---

¹ *contentos:* es sustantivo, cfr. VIII,66: «Aquí vive el contento».
³ *hacer:* h aspirada.

de toda mi comarca y reinos tristes,
   a do ya no veréis sino nublados
y viento y torbellino y lluvia fiera,
suspiros encendidos y cuidados.
   No pinta el prado aquí la primavera   10
ni nuevo sol jamás las nubes dora
ni canta el ruiseñor lo que antes era;
   la noche aquí se vela, aquí se llora
el día miserable sin consuelo
y vence al mal de ayer el mal de agora.   15
   Guardad vuestro destierro, que ya el suelo
no puede dar contento al alma mía,
si ya mil vueltas diere andando el cielo;
   guardad vuestro destierro, si alegría,
si gozo y si descanso andáis sembrando,   20
que aqueste campo abrojos solos cría;
   guardad vuestro destierro, si tornando
de nuevo no queréis ser castigados
con crudo azote y con infame bando;
   guardad vuestro destierro, que, olvidados   25
de vuestro ser, en mí seréis dolores:
¡tal es la fuerza de mis duros hados!
   Los bienes más queridos y mayores
se mudan y en mi daño se conjuran,
y son por ofenderme a sí traidores;   30
   mancíllanse mis manos, si se apuran;
la paz y la amistad me es cruda guerra;
las culpas faltan, mas las penas duran.

---

[6] *reinos tristes:* cfr. Garcilaso, *Egl.* III,139: «al triste reyno de la escura gente»; y trad. del *Salmo* LXXXVII,10-11: «con los que moran la región escura / y triste, con aquellos soy contado».

[7-10] Cfr. XXII,44-45.

[12] *el ruiseñor lo que antes era:* «lo que antes era» entiendo que se refiere al *locus amoenus* que ha dejado de serlo y ya no es objeto del canto del ruiseñor. Según Macrí se alude aquí al mito de Progne (o Filomela, según las versiones) que canta su estado antes de la transformación en ruiseñor.

[21] Cfr. XVI,11.

[27] *duros:* 'crueles'.

[31] *apuran:* 'purifican', cfr. XIV,25.

Quien mis cadenas más estrecha y cierra
es la memoria mía y la pureza;   35
cuando ella sube, entonces vengo a tierra.

Mudó su ley en mí naturaleza,
y pudo en mí dolor lo que no entiende
ni seso humano ni mayor viveza.

Cuanto desenlazarse más pretende   40
el pájaro captivo, más se enliga,
y la defensa mía más me ofende.

En mí la culpa ajena se castiga
y soy del malhechor, ¡ay!, prisionero,
y quieren que de mí la Fama diga: 45

«Dichoso el que jamás ni ley ni fuero
ni el alto tribunal ni las ciudades
ni conoció del mundo el trato fiero;

que por las inocentes soledades
recoge el pobre cuerpo en vil cabaña   50
y el ánimo enriquece con verdades;

cuando la luz el aire y tierras baña,
levanta al puro sol las manos puras,
sin que se las aplomen odio y saña;

---

[37] Cfr. Garcilaso, *El.* I,108: «sin temer de natura tal mudança» refiriéndose a la muerte de don Bernaldino.

[42] *ofende:* 'se convierte en daño para mí'

[43-45] Posibles alusiones al Santo Tribunal de la Inquisición se encuentran dispersos por todo el poema, pero especialmente estos versos son
muy violentos si se entienden dirigidos a sus jueces. Es muy difícil que
Fray Luis pensase en dar a la imprenta una cosa así.

[46-63] Sobre esta puntuación y el uso de estilo directo en la poesía luisiana véase E. Alarcos, 1979, págs. 12-13.

[46-48] *Dichoso el que:* recuerda el famoso *Beatus ille* de Horacio (*Ep.* II,1);
cfr. también Virgilio, *G.* II,493-502: «fortunatus et ille, deos qui novit agres-
tes... nec ferrea iura / insanumque forum aut populi tabularia vidit». La
ausencia de leyes es uno de los rasgos también de la Edad de Oro de Ovidio, *Met.* I,83-87: «Aurea prima sata est aetas, quae vindice nullo / sponte sua, sine lege fidem rectumque colebat. / Poena metusque aberant nec
verba minantia fixo / aere ligabantur nec supplex turba timebat / iudicis
ora sui.»

[49-50] *por las inocentes soledades / recoge:* cfr. Garcilaso, *Egl.* II,40: «que
con la dulce soledad s'abraça», parafraseando el épodo II de Horacio.

[50] *en vil cabaña:* cfr. XIV,6

sus noches son sabrosas y seguras;   55
la mesa le bastece alegremente
el campo, que no rompen rejas duras;
  lo justo le acompaña y la luciente
verdad, la sencillez en pechos de oro,
la fee no colorada falsamente;   60
  de ricas esperanzas almo coro
y paz con su descuido le rodean,
y el gozo, cuyos ojos huye el lloro.»
  Allí, contento, tus moradas sean;
allí te lograrás; y a cada uno   65
de aquellos, que de mí saber desean,
les di que no me viste en tiempo alguno.

---

⁵²⁻⁵⁵ Cfr. Séneca, *Hippolitus* II,521-26: «Certior somnus premit / se-
cura duro membra versantem toro. / Non in recessu furta et obscuro improbus / quaerit cubili, seque multiplici timens / domo recondit: aethera
ac lucem petit, / et teste caelo vivit.»

⁵⁶⁻⁵⁷ La imagen de esa tierra fértil sin que se la trabaje procede de la
descripción de la Edad de Oro de Ovidio, *Met.* I,101-102: «Ipsa quoque
immunis rastroque intacta nec ullis / saucia vomeribus per se dabat omnia tellus.»

⁵⁸⁻⁶⁰ Cfr. Horacio I,24,6-7: «et iustitiae soror incorrupta fides nudaque
veritas» que se vierte también en XV,23-25; *sencillez:* cfr. *simplicitas* en
el *Exvoto,* v.6.

⁶⁰ *no colorada:* 'que no ha sufrido el engaño de los colores retóricos';
equivale al *incorrupta fides* de Horacio ya citado.

⁶¹ *almo:* cfr. XIII,1.

⁶² Cfr. Garcilaso, *Egl.* II,41: «y bive descuydado» prafraseando a Ho-
racio.

⁶⁴⁻⁶⁵ Cfr. VIII,66-67.

⁶⁶⁻⁶⁷ En el apartamiento el feliz sabio queda sumido en el olvido; cfr.
«Epístola de don Diego de Mendoça a Boscán», 160-168:

> ¡Oh quien pudiera verse en este punto / quanto al ánimo, aunque no quan-
> to al poder, / y tuviésseme'l mundo por defunto!
> ¡Comigo s'acabasse allí mi ser, / y tan poca memoria de mi uviesse, / como
> si nunca uviera de nacer!
> ¡La noche del olvido me cubriesse / en esta medianeza comedida, / y el
> vano vulgo no me conociesse!

XVIII

La oda es de fecha incierta. Se compuso para la fiesta de la Ascensión y se pone en boca de un apóstol que mira la lenta desaparición del Señor hasta que lo oculta una nube. En el manuscrito de *Fuentelsol* se encuentra una versión con veinte versos más. Pueden ser de un buen imitador o del propio poeta, pero representan una redacción peor que la versión breve que ofrecen la mayor parte de los testimonios (véase el texto en *Vega,* págs. 522-23).

C. P. Thompson ha puesto en relación esta oda con la tradición iconográfica de representar la Ascensión desde los sentimientos de los que ven alejarse al Señor.

XVIII

EN LA ASCENSIÓN

¿Y dejas, Pastor santo,
tu grey en este valle hondo, escuro,
con soledad y llanto;
y tú, rompiendo el puro
aire, te vas al inmortal seguro?   5
Los antes bienhadados
y los agora tristes y afligidos,
a tus pechos criados,

---

² *En este valle:* cfr. Garcilaso, *Egl.* I,252: «y en este mismo valle, donde agora»; *hondo:* h aspirada.

³ Cfr. Garcilaso, *Egl.* I,290-91: «que a sempiterno llanto / y a triste soledad m'á condenado»

⁵ *Seguro:* Senabre (1978,87) sugiere que es un latinismo semántico *(tutum)* pero es también una posibilidad del propio castellano.

162

de ti desposeídos,
¿a dó convertirán ya sus sentidos?   10
   ¿Qué mirarán los ojos,
que vieron de tu rostro la hermosura,
que no les sea enojos?
quien oyó tu dulzura
¿qué no tendrá por sordo y desventura?   15
   Aqueste mar turbado
¿quién le pondrá ya freno? ¿quién concierto
al viento fiero, airado?
estando tú encubierto,
¿qué Norte guiará la nave al puerto?   20
   ¡Ay!, nube envidiosa
aun deste breve gozo, ¿qué te aquejas?
¿dó vuelas presurosa?
¡cuán rica tú te alejas!
¡cuán pobres y cuán ciegos, ¡ay!, nos dejas!   25

XIX

Se trata de una adaptación de Horacio, *Od.* I,12, una onda
de fuerte influencia pindárica. Por otra parte tiene reminiscencias de su traducción de la *Olímpica* I de Píndaro y
quizá oda y traducción fueran coetáneas. En esta oda encontramos una transposición de personajes y mitos paga-
nos en sus equivalentes cristianos. Los valores morales y
simbólicos del mito, la 'philosophia secreta' que es esconde
bajo su corteza pasan a recubrir y enriquecer los héroes y

---

[10] *¿a dó convertirán ya sus sentidos,* cfr. Garcilaso, *Egl.* I,270-73: «¿Dó
está la blanca mano delicada, / llena de vencimientos y despojos / que
de mí mis sentidos l'offrecían?»; *convertirán:* es latinismo sobre *converto,* 'girar desde otro lado', 'hacer volver', 'atraer la atención'. Con este último matiz lo utiliza ya Garcilaso, *Son.* XV,56: «si quexas y lamentos con-
virtieron a escuchar su llanto / los fieros tigres» ('si las quejas hicieron
volver, atrajeron la atención de los fieros tigres para escuchar su llanto');
cfr. XIX,81.

dioses cristianos. Orfeo se convierte en David y lo recubre con las connotaciones de civilizador de la humanidad. Palas Atenea se convierte en la Virgen y la enriquece con su carácter de diosa preferida por el sabio, etc. Hay en todo ello una cierta inclinación a racionalizar la religión cristiana y a añadirle un cierto laicismo aunque sea inconsciente por parte del agustino. Véase el análisis de esta oda en la Introducción, págs. 33-34.

XIX

A TODOS LOS SANTOS

¿Qué santo o qué gloriosa
virtud, qué deidad que el cielo admira,
oh Musa poderosa
en la cristiana lira,
diremos entretanto que retira   5
el sol con presto vuelo
el rayo fugitivo en este día,
que hace alarde el cielo
de su caballería?
¿qué nombre entre estas breñas a porfía   10
repetirá sonando

---

¹⁻⁵ es paráfrasis de Hor. I,12,1-3: «quem virum aut heroa lyra vel acri / tibia sumis celebrare Clio? / quem deum?»

³ Cfr. trad. de la *Olímpica* I,219: «La Musa poderosa».

³⁻⁴ La expresión enlaza con Juan de Mena (exordio a las *Coplas contra los siete pecados*) y con Alvar Gómez de Ciudad Real, *Sátiras Morales:* «Las Musas dexando del Monte Helicón, / cuya poesía nos presta muy poco, / con Musa Christiana la gracia convoco / De aquel que más santa nos da invocación.» (Citado por J. Catalina García, *Biblioteca de Escritores de la Provincia de Guadalajara*, Madrid, 1899, pág. 165).

⁵ *diremos:* 'celebraremos' latinismo semántico (Lapesa, pág. 123).

⁹ Cfr. traducción de la *Olímpica* I,40-41: «Del amo glorioso / en la caballería».

¹⁰⁻¹² Cfr. Horacio I,12,3-4: «cuius recinet iocosa / nomen imago».

la imagen de la voz, en la manera
el aire deleitando
que el Efrateo hiciera
del sacro y fresco Hermón por la ladera?;   15
        a do, ceñido el oro
crespo con verde hiedra, la montaña
condujo con sonoro
laúd, con fuerza y maña
del oso y del león domó la saña.   20
        Pues, ¿quién diré primero,
que el Alto y que el Humilde?, y que, la vida
por el manjar grosero
restituyó perdida,
que al cielo levantó nuestra caída,   25
        igual al Padre Eterno,
igual al que en la tierra nace y mora,
de quien tiembla el infierno,
a quien el sol adora,
en quien todo el ser vive y se mejora.   30
        Después el vientre entero,

[12-20] Parafrasea y adapta al rey David, «el Efrateo», lo que Horacio dice de Orfeo (*ibíd.*, 5-12): «aut in umbrosis Heliconis oris / aut super Pindo gelidove in Haemo? / unde vocalem temere insecutae / Orphea silvae / arte materna rapidos morantem / fluminum lapsus celerisque ventos, / blandum et auritas fidibus canoris / ducere quercus.» Las resonancias mágicas de los topónimos griegos Helicón, Pindo, se transforman en topónimos hebreos, Efrateo, Hermón. La identificación de Orfeo con David es un tema difundido en el Renacimiento, cfr. D. P. Walker, *The Ancient Theology*. Ithaca, 1972, 23 y n. 5.

[20] Cfr. *Reg.* 1,17,36 (dice David): «Leonem et ursum interfeci ego servus tuus».

[21-22] Hor., *ibíd.* 13-15: «quid prius dicam solitis parentis / laudibus»; Fray Luis sustituye a Júpiter por Cristo, «el Alto y Humilde».

[26-27] Hor., *ibíd.* 17-18 (referido a Júpiter): «unde nil maius generatur ipso / nec viget quicquam simile aut secundum»; Fray Luis adapta naturalmente la jerarquía a la Trinidad.

[31-35] Cfr. Hor., *ibíd.* 19-20: «proximos illi tamen occupabit / Pallas honores». La diosa del saber se hace equivalente a la Virgen quizá en una interpretación semejante a la de Pérez de Moya (II,47-48):

> por Minerva entendieron los antiguos la sabiduría, y por Júpiter entendieron el mayor dios de los dioses, para declarar que la sabiduría es tal don,

la Madre desta Luz será cantada,
clarísimo Lucero
en esta mar turbada,
del linaje humanal fiel abogada.   35
   Espíritu divino,
no callaré tu voz, tu pecho opuesto
contra el dragón malino;
ni tú en olvido puesto
que a defender mi vida estás dispuesto.   40
   Osado en la promesa,
barquero de la barca no sumida,
a ti mi voz profesa;
y a ti que la lucida
noche te traspasó de muerte a vida.   45
   ¿Quién no dirá tu lloro,

---

que no puede venir al hombre salvo de Dios, como cosa suya; y así lo dice
Aristóteles, donde comienza: *Sapientia non est humana, sed divina posses-
sio*. Quiere decir: La sabiduría no es cosa que los hombres poseen, mas solo
Dios la tiene toda en sí como cosa suya; o porque si alguna parte de sabiduría tenemos, no la habemos de nosotros mismos, mas de Dios, que es
fuente de donde mana todo saber; así lo dice el Ecclesiástes. *Omnis sapientia a Domino Deo est*. Quiere decir: Toda sabiduría viene de Dios, y por
esto dice Horacio: *Proximus illi tamen occupavit Pallas honores*. Quiere decir: Sola Minerva entre los dioses está aparte de Júpiter; [...] Decir que nació Minerva sin madre, significa que la sabiduría y razón no tiene parentesco con los carnales ayuntamientos, de los cuales no nace salvo cosas cor-
porales y corruptibles, y la ciencia y razón es cosa incorruptible e incorpó-
rea; y así no debió de ser significada por cosa que en tal manera naciese.

[36-38] Se refiere a san Miguel que debeló la rebelión de los demonios y
despeñó a Lucifer. Es una transposición y traducción parcial de los correspondientes versos de Horacio, *ibid.* 21-22: «Proeliis audax, neque te si-
lebo / Liber». Liber, Dionisio participó en la lucha de Júpiter contra los
gigantes y Fray Luis hace equivalente la rebelión de los ángeles malos con
la gigantomaquia, cfr. la «Declaración moral» de la *Gigantomaquia* en Pérez de Moya (I,79-81).
[39-40] Se refiere al Ángel Custodio que defiende nuestras vidas. En Horacio se citan a Diana y a Febo Apolo, dios médico y protector de vidas.
[41-43] San Pedro que juró en falso al Señor y por eso es «osado en la
promesa».
[44-45] San Pablo que quedó ciego en la camino de Damasco y durante la
ceguera fue instruido en la doctrina de Cristo. Probablemente san Pedro
y san Pablo se corresponden con los hijos de Leda de Horacio (v.25); por
lo menos la «lucida / noche» puede reflejar la estrella de los Dióscuros
que guía a los marinos («quorum simul·alba nautis / stella refulsit»).
[46-50] Sobre la Magdalena, cfr. VI.

tu bien trocado amor, oh Magdalena; *exchange*
de tu nardo el tesoro, *treasure*
de cuyo olor la ajena
casa, la redondez del mundo es llena?   50
    Del Nilo moradora, *tender*
tierna flor del saber y de pureza,
de ti yo canto agora;
que en la desierta alteza,
muerta, luce tu vida y fortaleza.   55
    ¿Diré el rayo Africano?
¿diré el Stridonés sabio, elocuente?
¿o el panal Romano?
¿o del que justamente
nombraron *Boca de oro* entre la gente?   60
    Coluna ardiente en fuego,
el firme y gran Basilio al cielo toca, *burning*

---

⁴⁷ *tu bien trocado amor,* cfr. VI,47.

⁴⁹⁻⁵⁰ *la ajena / casa:* cfr. VI,53-54: «ajena presencia».

⁵¹⁻⁵⁵ Se refiere a santa Catalina de Alejandría, patrona de los filósofos, «tierna flor del saber». Según la leyenda, los ángeles trasladaron su cuerpo y lo sepultaron en el Monte Sinaí, «la desierta alteza» (54). Según Vega, esta santa equivale a Palas Atenea.

⁵⁶⁻⁷⁰ Una serie de Padres de la Iglesia se corresponden a los antiguos reyes y héroes defensores de la Roma arcaica hasta el linaje divino de Augusto. Fray Luis escoge justamente a san Agustín, san Jerónimo, san Ambrosio, san Juan Crisóstomo y san Basilio. Los tres primeros son los tres grandes padres de la Iglesia, pero después se esperaría a san Gregorio. En cambio, Fray Luis sigue con los dos Padres griegos, Crisóstomo y Basilio. Es una selección que podríamos llamar erasmista o por lo menos de regusto humanístico, prefiriendo a los padres de algún modo «filólogos» frente a los básicamente teólogos.

⁵⁶ Agustín de Hipona; *Diré:* cfr. v.5.

⁵⁷ Jerónimo de Estridonia, traductor de la Biblia.

⁵⁸ Ambrosio, obispo de Milán, creador de la himnología cristiana. El epíteto está ligado al dicho de que en su infancia las abejas colocaron un panal en su boca.

⁶⁰ Juan Crisóstomo, que en griego significa 'boca de oro'.

⁶¹⁻⁶⁵ Basilio, obispo de Cesarea, orador y defensor de la lectura de los autores gentiles y del aprovechamiento del saber pagano por los cristianos.

⁶¹ *Coluna ardiente:* alude a la leyenda según la cual una columna de fuego se apareció a san Efrén y una voz le dijo que era el gran Basilio.

⁶² *el cielo toca:* 'su fama se levanta hasta el cielo'; cfr. Horacio, I,1.36: «sublimi feriam sidera vertice».

mayor que el miedo y ruego;
y ante su rica boca
la lengua de Demóstenes se apoca.   65
    Cual árbol con los años
la gloria de Francisco sube y crece;
y entre mil ermitaños
el claro Antón parece
luna que en las estrellas resplandece.   70
    ¡Ay, Padre! ¿y dó se ha ido
aquel raro valor? ¡Oh!, ¿qué malvado
el oro ha destruido
de tu templo sagrado?
¿quién cizañó tan mal tu buen sembrado?   75
    Adonde la azucena
lucía, y el clavel, do el rojo trigo,
reina agora la avena,
la grama, el enemigo
cardo, la sinjusticia, el falso amigo.   80

---

[63] Alude a la firmeza de su oposición al arrianismo tan difundido en el imperio de Valente.

[66-67] Francisco de Asís; cfr. Horacio I,12,45-46: «crescit occulto velut arbor aevo / fama Marcelli»; y Píndaro, *N*. VIII, 40 y ss.

[68-70] Antonio Abad; cfr. Horacio, *ibíd*. 46-48: «micat inter omnis / Iulium sidus, velut inter ignis / luna minores», aunque es un lugar común de los *encomia*, cfr. la anotación de Nisbet-Hubbard al v.47.

[71-85] En estas estrofas se lamenta de la desaparición en su tiempo de las antiguas virtudes, el valor, el saber, y la piedad que ha pintado en la primera parte del poema en las figuras de apóstoles, santos y padres de la Iglesia. Frente a los antiguos padres, tan admirados por los erasmistas españoles, se ha levantado el burdo escolasticismo, la ignorancia de lenguas y la herejía.

[71] *¡Ay, Padre!*: del resto de la oda de Horacio sólo conserva esta invocación (v.49): «Gentis humanae pater atque custos», que el venusino refiere a Augusto. A. Custodio Vega supone que desde aquí hasta el final se añadió al texto primitivo en la cárcel.

[76-85] Comparación apoyada en Virgilio, *Egl*. V,36-39: «Grandia saepe quibus mandavimus hordea sulcis, / infelix lolium et steriles nascuntur avenae; / pro molli viola, pro purpureo narcisso / carduus et spinis surgit paliurus acutis.» que el mismo Fray Luis traduce: «Y los sulcos que ya criavan trigo / de avena y grama estéril se cubrieron. / En vez de la violeta y del amigo / narciso de sí mismo brota el suelo / espina y cardo agudo y enemigo.»

Convierte piadoso
tus ojos y nos mira, y con tu mano
arranca poderoso
lo malo y lo tirano,
y planta aquello antiguo, humilde y llano.   85
Da paz a aqueste pecho,
que hierve con dolor en noche escura;
que fuera deste estrecho
diré con más dulzura
tu nombre, tu grandeza y hermosura.   90
No niego, dulce amparo
del alma, que mis males son mayores
que aqueste desamparo;
mas, cuanto son peores,
tanto resonarán más tus loores.   95

XX

Esta larga oda se escribe después de la «Profecía del Tajo». Los vv. 76-110 son un resumen que presuponen esa oda. La expresión «moro descreído» (v.123), la comparación del león (131-32) y el tono exultante de la última parte resultan cercanos a la oda XXII (cfr. XXII,32 y 55-60). Es posible que las tres odas (VII, XX y XXII) se escribieran en fechas cercanas, después de acabar la guerra de las Alpujarras (1570), a lo que podría aludir el «en clara lumbre / y de la gloria estamos en la cumbre» (144-45). Es posible también, como sugiere Entwistle (1927, pág. 197), que esta oda y la VII se escribieran en torno a la victoria de

---

[81] *Convierte:* latinismo semántico, *converte* (Lapesa, pág. 123); cfr. XVIII,10.
[90] *hermosura:* h aspirada.

169

Lepanto (1571). De hecho Fray Luis vivió literariamente la batalla y participó como juez en un certamen poético sobre ese tema y alude en ella en la «Imitación de la oda XXII, libro II».

XX

A SANTIAGO

Las selvas conmoviera,
las fieras alimañas, como Orfeo,
si ya mi canto fuera
igual a mi deseo,
cantando el nombre santo Zebedeo;   5
    y fueran sus azañas
por mí con voz eterna celebradas,
por quien son las Españas
del yugo desatadas
del bárbaro furor, y libertadas;   10
    y aquella Nao dichosa,
del cielo esclarecer merecedora,
que joya tan preciosa
nos trujo, fuera agora
cantada del que en Citia y Cairo mora.   15

---

¹⁻³ Tiene resonancias de Garcilaso, C. V,1-8: «Si de mi baja lira / tanto pudiese al son ... con el suave canto enterneciese / las fieras alimañas». Por otra parte, la invocación a Orfeo en el exordio de un poema renacentista no es raro, cfr. Pontano, *Opera*, II, Venecia, 1513, 246, «Ad divum Benedictum»: «Huc ades Orphea dive canenda lyra». Es un topos retórico antiguo que en la formulación de Fray Luis se acerca también a Ovidio, *Met.* XI,1-2; Horacio, *Od.* I,12,7-12 y otros textos, véase Nisbet-Hubbard a los versos citados de Horacio.

⁵ *Zebedeo:* Santiago Zabedeo.

¹⁰ *furor:* la palabra *furor* en la épica virgiliana sirve para designar la desmesura, el desorden y la impiedad de los enemigos del estoico Eneas.

¹¹ *Nao:* la nave en la que fue trasladado el cuerpo de Santiago.

¹² Hipérbaton = 'merecedora de dar gloria al cielo'.

¹⁵ *Citia y Cairo:* el escita y el egipcio.

Osa el cruel tirano
ensangrentar en ti su injusta espada;
no fue consejo humano;
estaba a ti ordenada
la primera corona, y consagrada.   20
    La fe que a Cristo diste
con presta diligencia has ya cumplido;
de su cáliz bebiste,
apenas que subido
al cielo retornó, de ti partido.   25
    No sufre larga ausencia,
no sufre, no, el amor que es verdadero;
la muerte y su inclemencia
tiene por muy ligero
medio por ver al dulce compañero.   30
    [¡Oh viva fe constante!
¡oh verdadero pecho, amor crecido!
un punto de su amante
no vive dividido;
síguele por los pasos que había ido.]   [35]
    Cual suele el fiel sirviente,
si en medio la jornada le han dejado,
que, haciendo prestamente
lo que le fue mandado,
torna buscando al amo ya alejado,   35
    ansí, entregado al viento,
del mar Egeo al mar de Atlante vuela
do, puesto el fundamento

---

¹⁶ *cruel tirano:* es Herodes Agripa I que hizo degollar al apóstol en el
año 44 d. de C.
²⁰ *la primera corona:* pues fue el primer apóstol en morir por la fe y
recibir la corona del matirio.
²³ Alude a las palabras de Cristo y a la contestación de los dos hijos
Zebedeos: «Potestis bibere calicem quem ego bibiturus sum? Dicunt ei:
Possumus» *(Mat.* 20,22).
¹³¹⁻³⁵¹ Esta estrofa falta en *Quevedo,* aunque está en *Jovellanos, Alcalá*
y *S. Felipe.*
³⁶⁻⁴⁵ Santiago después de evangelizar España regresó a Palestina donde
sufrió el martirio.

de la cristiana escuela,
torna buscando a Cristo a remo y vela.   40
    Allí por la maldita
mano el sagrado cuello fue cortado:
¡camina en paz, bendita
alma, que ya has llegado
al término por ti tan deseado!   45
    A España, a quien amaste
(que siempre al buen principio el fin responde),
tu cuerpo le inviaste
para dar luz adonde
el sol su claridad cubre y esconde;   50
    por los tendidos mares
la rica navecilla va cortando;
Nereidas a millares
del agua el pecho alzando,
turbadas entre sí la van mirando;   55
    y dellas hubo alguna
que, con las manos de la nave asida,
la aguija con la una
y con la otra tendida
a las demás que lleguen las convida.   60
    Ya pasa del Egeo,
y vuela por el Jonio; atrás ya deja
el puerto Lilibeo;
de Córcega se aleja
y por llegar al nuestro mar se aqueja.   65
    Esfuerza, viento, esfuerza;
hinche la santa vela, enviste en popa;

46-55 El cuerpo del apóstol fue trasladado a Galicia.
53-60 Cfr. Virgilio, *Aen.* XX,220-22: «nymphae...innabant pariter fluc-
tusque secabat, ...quarum quae fandi doctissima Cymodocea / pone se-
quens dextra [con la una] puppim tenet ipsaque dorso / eminet [del agua
el pecho alzando] ac laeva [con la otra] tacitis subremigat undis».
61-64 Cfr. Garcilaso, *Egl.* II,1704-05: «Cataluña pasaba, atrás la deja /
Ya d'Aragón s'alexa».
63 *Lilibeo:* puerto de Marsala en Sicilia.
66 Cfr. Garcilaso, *Egl.* II,734-36: «¡Ay viento fresco y manso y amoroso, / almo, dulce, / sabroso! Esfuerza, esfuerza / tu soplo.»

el curso haz que no tuerza,
do Abila casi topa
con Calpe, hasta llegar al fin de Europa.   70
   Y tú, España, segura
del mal y cautiverio que te espera,
con fe y voluntad pura
ocupa la ribera:
recebirás tu guarda verdadera;   75
   que tiempo será cuando,
de innumerables huestes rodeada,
del cetro real y mando
te verás derrocada,
en sangre, en llanto y en dolor bañada.   80
   De hacia el Mediodía
oye que ya la voz amarga suena;
la mar de Berbería
de flotas veo llena;
hierve la costa en gente, en sol la arena;   85
   con voluntad conforme
las proas contra ti se dan al viento,
y con clamor deforme
de pavoroso acento
avivan de remar el movimiento;   90
   y la infernal Meguera,
la frente de ponzoña coronada,
guía la delantera
de la morisca armada,
de fuego, de furor, de muerte armada.   95
   Cielos, so cuyo amparo
España está: ¡merced en tanta afrenta!
Si ya este suelo caro
os fue, nunca consienta
vuestra piedad que mal tan crudo sienta.   100
   Mas, ¡ay!, que la sentencia
en tabla de diamante está esculpida;

[69-70] *Abila:* monte de Africa frente a Calpe (Gibraltar). Se refiere al estrecho de Gibraltar, las antiguas Columnas de Hércules. El «fin de Europa» es el cabo Finisterre.
[91-92] Cfr. XVI,18-22.

del Godo la potencia
por el suelo caída,
España en breve tiempo es destruida.   105
    ¿Cuál río caudaloso,
que los opuestos muelles ha rompido
con sonido espantoso,
por los campos tendido
tan presto y tan feroz jamás se vido?   110
    Mas cese el triste llanto,
recobre el Español su bravo pecho;
que ya el Apóstol santo,
un otro Marte hecho,
del cielo viene a dalle su derecho: 115
    vesle de limpio acero
cercado, y con espada relumbrante;
como rayo, ligero,
cuanto le va delante
destroza y desbarata en un instante;   120
    de grave espanto herido,
los rayos de su vista no sostiene
el Moro descreído;
por valiente se tiene
cualquier que para huir ánimo tiene.   125
    Huye, si puedes tanto;
huye, mas por demás, que no hay huida;
bebe dolor y llanto
por la mesma medida
con que ya España fue de ti medida.   130
    Como león hambriento,
sigue, teñida en sangre espada y mano,
de más sangre sediento,
al Moro que huye en vano;
de muertos queda lleno el monte, el llano.   135
    ¡Oh gloria, oh gran prez nuestra,
escudo fiel, oh celestial guerrero!
vencido ya se muestra

---

[123] Cfr. XXII,32
[135] Cfr. Garcilaso, *Egl.* II,1721: «el campo, el río, el monte, el llano».

el Africano fiero
por ti, tan orgulloso de primero;   140
    por ti del vituperio,
por ti de la afrentosa servidumbre
y triste cautiverio
libres, en clara lumbre
y de la gloria estamos en la cumbre.   145
    Siempre venció tu espada,
o fuese de tu mano poderosa,
o fuese meneada
de aquella generosa,
que sigue tu milicia religiosa.   150
    [Las enemigas haces
no sufren de tu nombre el apellido;
con sólo aquesto haces
que el Español oído
sea, y de un polo a otro tan temido.]   [160]
    De tu virtud divina
la fama, que resuena en toda parte,
siquiera sea vecina,
siquiera más se aparte,
a la gente conduce a visitarte.   155
    El áspero camino
vence con devoción, y al fin te adora
el Franco, el peregrino
que Libia descolora,
el que en Poniente, el que en Levante mora.   160

149-150 Se refiere a la orden de Santiago.
[151-160] Faltan estos versos en *Quevedo* aunque aparecen en *Jovellanos* y *Alcalá*.
156-157 Cfr. Virgilio, *Aen.* VI,688: «Vicit iter durum pietas.»
159 'Que pone moreno por el sol'

XXI

El poema debió escribirse en la cárcel, probablemente en 1573. Fray Luis había pedido que le llevaran una Biblia en hebreo, según una carta de ese año. El P. Méndez vio los vv. 45-55 en las guardas del tomo I de la Biblia Políglota de Alcalá que es la que seguramente le llevarían.

Para justificar el poema se acostumbran a sacar a relucir todo tipo de manifestaciones de fervor mariano por parte de Fray Luis: desde que pidió un cuadro de la Virgen estando en la cárcel, a diversos pasajes de su obra, del *Libro de retratos* del pintor Pacheco, etc. Creo que el fervor mariano se le supone, pero la razón de que escribiera este himno es literaria. Fray Luis escribe este poema dentro de la tradición literaria humanística en la que se encuentran con mucha frecuencia himnos a la Virgen junto con poesía moral o poesía amorosa; desde Petrarca *(Canz.* CCCLXVI) hasta Policiano *(Carmina Illustrium,* II, f.127), Lucio Flaminio Sículo (f.a2), Martín Ivarra, Juan de Vilches *(Bernardina,* f.97), Hernán Ruiz de Villegas (pág. 233), etc. Fray Luis enlaza con esa tradición de poemas humanísticos a la Virgen y como aviso de esa relación se utiliza un famoso modelo petrarquista, el «Vergine bella, che di sol vestita» *(Canz.* CCCLXVI). En esto tiene el precedente de una *Cançao* similar de Sá de Miranda (R. Ricard, páginas 136-137). Fray Luis reproduce el esquema estrófico de la canción reduciendo el número de versos. Por lo demás el agustino se aparta radicalmente del poeta de Vaucluse en la distribución del material en cada estrofa y en el tono. En Fray Luis, los tres versos iniciales de cada estrofa tienen carácter hímnico y ritual, de religiosidad común, pero en el resto se cambia el tono y se salta a la interioridad del suplicante. Esto crea un efecto de contraposición entre las palabras mágicas y ceremoniosas del inicio y las imágenes intimistas de la desesperación del poeta. El material litúrgico y bíblico se condensa especialmente en esos versos iniciales de estrofa. La selección de ese material es muy parecida a la que hace Policiano en su poema «In divam Virginem hymnus, numeris lege solutis» al que he aludido antes:

O virgo prudentissima
Quam caelo missus Gabriel,
Supremi regis nuntius,
Plenam testatur gratia,
   Cuius devota humilitas 5
Gemmis ornata fulgidis
Fidentis conscientiae
Amore deum rapuit.
   Te sponsam factor omnium,
Te matrem dei filius, 10
Te vocat habitaculum
Suum beatus spiritus.
   Per te de tetro carcere
Antiqui patres exeunt;
Per te nobis astriferae 15
Panduntur aulae limina.
   Tu stellis comam cingeris,
Tu lunam premis pedibus,
Te sole amictam candido
Chori stupent angelici. 20
   Tu stella maris diceris,
Quae nobis inter scopulos,
Inter obscuros turbines
Portum salutis indicas.
   Audi virgo puerpera 25
Et sola mater integra,
Audi precantes quaesumus
Tuos Maria servulos.
   Repelle mentis tenebras,
Dirumpe cordis glaciem, 30
Nos sub tuum praesidium
Confugientes protege.
   Da nobis in proposito
Sancto perseverantiam,
Ne noster adversarius 35
   In te sperantes superet;
   Sed et cunctis fidelibus,
Qui tuum templum visitant,
Benigna mater dexteram
Da caelestis auxilii. Amen. 40

Aunque es posible que Fray Luis conociese el himno del florentino, no se puede demostrar una dependencia directa. Es más bien un material difundido en el que beben ambos. Y, sin embargo, la selección de imágenes y conceptos es cercana, cfr. Policiano vs. 9-12 y Fray Luis vs. 56-58; 17-19 y Fray Luis vs. 34-36; 21-24 y Fray Luis vs. 78-80; 26-27 y Fray Luis vs. 89-91.

XXI

A NUESTRA SEÑORA*

Virgen, que el sol más pura,
gloria de los mortales, luz del cielo,
en quien la piedad es cual la alteza,
los ojos vuelve al suelo
y mira un miserable en cárcel dura,   5
cercado de tinieblas y tristeza;
y, si mayor bajeza
no conoce, ni igual, juicio humano,
que el estado en que estoy por culpa ajena,
con poderosa mano   10
quiebra, Reina del cielo, esta cadena.
Virgen, en cuyo seno
halló la deidad digno reposo,
do fue el rigor en dulce amor trocado,

---

* El manuscrito de *Alcalá* añade «estando preso en la Inquisición. Se lamenta del estado miserable en que se hallaba preso y perseguido».

¹ Cada una de las estrofas empieza con la palabra «Virgen» imitando el mismo procedimiento de Petrarca en *Canz.* CCCLXV.

³ *la piedad es cual la alteza:* cfr. Dante, *Par.* XXXIII («Preghiera alla Vergine»), v.3: «umile ed alta» (Macrí).

⁵ Petrarca, *ibíd.* 10-11: «Miseria estrema de l'umane cose / già mai ti volse, al mio prego t'inchina.»

¹⁰⁻¹¹ Cfr. la traducción del *Salmo* XXIV, 89-90: «con mano de amor llena / rompe de mis pecados la cadena».

¹⁴⁻¹⁵ El léxico es totalmente garcilasiano, aunque (excepto 'dulze amor' Son. 31,2) no hay *iuncturae*, cfr. E. Sarmiento, *Concordancia, s.v.* 'rigor', 'trocado', 'blando', 'riguroso'; y el tono de toda la estrofa es el de un madrigal a una desdeñosa dama petrarquista.

178

si blando al riguroso   15
volviste, bien podrás volver sereno
un corazón de nubes rodeado;
descubre el deseado
rostro, que admira el cielo, el suelo adora;
las nubes huirán, lucirá el día;   20
tu luz, alta Señora,
venza esta ciega y triste noche mía.

   Virgen y Madre junto,
de tu Hacedor dichosa engendradora,
a cuyos pechos floreció la vida;   25
mira cómo empeora
y crece mi dolor más cada punto;
el odio cunde, la amistad se olvida;
si no es de ti valida
la justicia y verdad que tú engendraste,   30
¿adónde hallará seguro amparo?
Y pues Madre eres, baste
para contigo el ver mi desamparo.

   Virgen, del sol vestida,
de luces eternales coronada,   35
que huellas con divinos pies la Luna;
envidia emponzoñada,
engaño agudo, lengua fementida,
odio cruel, poder sin ley ninguna,
me hacen guerra a una;   40
pues, contra un tal ejército maldito

---

[20] *las nubes huirán:* recuerda a Horacio, *Od.* 1,12,27-30: «quorum simul
alba nautis / stella refulsit, ... concidunt venti fugiuntque nubes». De todas formas la imagen de que la amada serena los cielos con su rostro está
muy difundida, cfr. Policiano *(Carm. Illustrium,* II, f. 123v): «quo, quo fu-
gis bellissima, / risus serenans aethera».

[23-24] Cfr. Dante, *ibíd.,* 1: «Vergine Madre, figlia del tuo figlio».

[25] *la vida:* quiere decir que ella amamantó a Cristo, vía de salvación y
de vida en el más allá para el cristiano.

[31] *hallará:* h aspirada; el sujeto es «la justicia y verdad»

[34-35] Cfr. *Apocalypsis,* XII,1: «Mulier amicta sole, et luna sub pedibus
eius, et in capite eius corona stellarum duodecim»; Petrarca, 1: «Vergine
bella che di sol vestita», y Policiano, vv.17-19.

[40] *guerra a una:* Petrarca, 12: «socorri a la mia guerra».

¿cuál pobre y desarmado será parte,
si tu nombre bendito,
María, no se muestra por mi parte?

Virgen, por quien vencida   45
llora su perdición la sierpe fiera,
su daño eterno, su burlado intento;
miran de la ribera
seguras muchas gentes mi caída,
el agua vïolenta, el flaco aliento: 50
los unos con contento,
los otros con espanto; el más piadoso
con lástima la inútil voz fatiga;
yo, puesto en ti el lloroso
rostro, cortando voy onda enemiga.   55

Virgen, del Padre Esposa,
dulce Madre del Hijo, templo santo
del inmortal Amor, del hombre escudo;
no veo sino espanto;
si miro la morada, es peligrosa;   60
si la salida, incierta; el favor mudo,
el enemigo crudo,
desnuda la verdad, muy proveída
de armas y valedores la mentira.
La miserable vida,   65
sólo cuando me vuelvo a ti, respira.

Virgen, que al alto ruego
no más humilde *sí* diste que honesto,
en quien los cielos contemplar desean;
como terrero puesto—   70
los brazos presos, de los ojos ciego—
a cien flechas estoy que me rodean,
que en herirme se emplean;

---

[42] *será parte:* una de las partes de un litigio, la de defensor: '¿cuál pobre desarmado asumirá la parte favorable a mí, la de mi defensa?'; cfr. XIV,57.
[44] *por mi parte:* 'en favor de mí'.
[56-58] Cfr. Petrarca, 57: «Al vero Dio sacrato e vivo templo»; y 17: «O saldo scuto de l'afflicte genti»; Policiano, 11-13.

siento el dolor, mas no veo la mano
ni me es dado el huir ni el escudarme.   75
Quiera tu soberano
Hijo, Madre de amor, por ti librarme.
   Virgen, lucero amado,
en mar tempestuoso clara guía,
a cuyo santo rayo calla el viento;   80
mil olas a porfía
hunden en el abismo un desarmado
leño de vela y remo, que sin tiento
el húmedo elemento
corre; la noche carga, el aire truena;   85
ya por el cielo va, ya el suelo toca;
gime la rota antena;
socorre, antes que enviste en dura roca.
   Virgen, no enficionada
de la común mancilla y mal primero,   90
que al humano linaje contamina;
bien sabes que en ti espero
dende mi tierna edad; y, si malvada
fuerza que me venció ha hecho indina
de tu guarda divina   95
mi vida pecadora, tu clemencia
tanto mostrará más su bien crecido,

[76-80] Cfr. Petrarca 66-68: «Vergine chiara e stabile in eterno, / Di questo tempestoso mare stella, / D'ogni fedel nocchier fidata guida;» y Policiano, 21-24.

[81-88] Cfr. *Salmo* CVI,26: «Ascendunt usque ad caelos et descendunt usque ad abyssos «(«hunden en el abismo... ya por el cielo va, ya el suelo toca»); y la propia traducción de Fray Luis, vv.69-80 (pág. 1666): «También los que corrieron / la mar con flaco leño, volteando / por las profundas aguas, y probaron / en el abismo y vieron / de Dios las maravillas grandes, cuando / mandándolo El los vientos se enojaron, / y las alas alzaron / al cielo furiosos; ya se apega / con las nubes la nave, ya en el suelo / se hunde, y el recelo / atónitos los turba, ahila y ciega; / el grito al cielo llega.»

[89-91] Cfr. el himno mariano de J. de Vilches *(Bernardina,* f. 97): «Salve virgo Dei parens / communis maculae libera crimine»; Petrarca, 27: «Vergine pura, d'ogni parte intera»; Policiano, 25-26.

[93] Cfr. Petrarca, 82-84: «Da poi ch'i'nacqui in su la riva d'Arno, / ... non è stata mia vita altro ch'affanno.»

cuanto es más la dolencia,
y yo merezco menos ser valido.
Virgen, el dolor fiero   100
añuda ya la lengua, y no consiente
que publique la voz cuanto desea;
mas oye tú al doliente
ánimo que contino a ti vocea.

XXII

El poema se puede fechar con bastante precisión entre 1569 y 1570 por la referencia a la toma de Poqueira
(vv. 61-62). Portocarrero, entonces canónigo de Sevilla, estaba junto con su hermano Alfonso en Granada (Ilíberi v. 1).
Se trata de un poema dedicado a la ausencia del amigo
y a las actitudes del hombre sereno ante la vida presenta-
das a través de un sinuoso trazado de imágenes de orden
y desorden. Fray Luis construye un complicado juego de
contraposiciones para buscar y plasmar una armonía: au-
sencia/presencia (ideal); linaje/virtud propia; guerra (justa)/paz; gloria militar y de linaje/virtud propia y ocio santo en la paz. Son temas variados, que parecen trabados te-
nuemente, pero que tienen una ligazón más fuerte y más
profunda como partes del viejo concepto de la *concordia
discors*. El gozo del ocio literario está roto por la ausencia,
pero se compensa con el propio poema que es una forma
de presencia. El linaje de Portocarrero es una gloria falsa
que se contrapone al verdadero bien que es la virtud del
amigo. Estas ideas opuestas sirven de preparación al contraste central del poema: la paradoja de la guerra «en me-

---

[101-103] *Salmo* XXVI,7: «Exaudi, Domine, vocem meam, qua clamavi ad
te;» y *Salmo* LXXXVII, en la traducción de Fray Luis, vv.28-33: «En cárcel me detienes ansí fiera, / que ni la pluma ni la voz se extiende / a
publicar mi pena lastimera... y contino el grito a Ti y los brazos la alma
tiende»

dio de la paz» (v.24). La guerra y la discordia nacen incluso en medio del «perdón» (v.33) y la justicia como algo inevitable e irracional. Como dice Fray Luis en *Los Nombres de Cristo* (págs. 578-79): «Porque ahora, y cuanto durare la sucesión de estos siglos, reina en el mundo Cristo con contradicción, porque unos le obedecen y otros se le rebelan... Conviene que el reino de Cristo, en el estado que decimos de guerra y de contradicción, dure hasta que habiéndolo sujetado todo alcance entera victoria.» Por otra parte, cuando el amor que rige todas las cosas se «desconoce» (v.38) despierta el «ánimo enemigo» y la discordia. Nos entregamos entonces a la mutabilidad en la que reina Fortuna (v.41), el mundo de las *terrenae nebulae et pondera molis* de que habla Boecio en el himno al Creador (3,9,64). Todas estas ideas sobre la guerra se sintetizan en la preciosa imagen de la tormenta (vv. 43-47: cf. la nota correspondiente). Ligado a esta guerra se levanta la figura del varón valiente, Alfonso, que realiza actos heroicos y «aventura la vida por la gloria». Representa la gloria militar que merece elogio. Pero por encima de esa virtud está la virtud de la paz, recuerda Fray Luis. Por encima de la vida activa está la vida contemplativa del «ocio santo» (v.76), de la misma manera que sobre los «claros padres» (v.74) está la virtud que es el verdadero bien del sabio. «El hombre de ánimo bien compuesto y que conserva paz y buena orden consigo, tiene atajadas y como cortadas casi todas las ocasiones y, cuanto es de su parte, sin duda todas las que le pueden encontrar (hacer enfrentar) con los hombres.» El varón justo se aparta de esas pasiones entre las cuales está también la guerra «y esa es la paz que se concede en el suelo a los hombres de buena voluntad y en la que consiste la vida del sabio perfecto» dice, en cita agustiniana, el Fray Luis de *Los Nombres de Cristo* (págs. 594-95).

En suma es un poema construido sobre materiales varios. El exordio y marco inicial enlaza con los poemas humanísticos «In amicum absentem» que sirven de punto de partida para una meditación más amplia, por ejemplo en la composición de Policiano «Ad Laurentium Medicen iuniorem epistola pene extemporanea» *(Carmina illustrium,*

f.119). Véase también M. A. Flaminio, «Ad Marium Ban-
dinum» (Carmina Quinque, págs. 180-81) o Alvar Gómez
de Castro, «D. Didaco Castellae decano Toletano» que refleja un esquema retórico cercano al de Fray Luis (ed. A.
Alvar Ezquerra, II, pág. 561):

> Inclyta Castellae quo salvo stemmata fulgent,
>   qui Arenicis agris otia grata capis,
> quod fictas acies, quod ludicra proelia tractes,
>   quodque Io paean rustica turba sonet,
> quod ponas curas, quod dulcia frigora captes,
>   gaudemus, rursus munera dura petes.
> Nos quibus interea curae est absentis amici,
>   te cupimus celeri iam rediisse pede.

La segunda parte se centra, junto a otros temas menores, en la confrontación entre vida militar y vida contemplativa dedicada al ocio literario. Naturalmente, el humanista barre para su casa, y el ocio santo está siempre por
encima de las actividades bélicas. Aunque muy diferentes
en forma y enfoque pienso que esta parte de la composición enlaza con poemas como el de Arias Montano al secretario real Gabriel Zayas, en el que compara su vida dedicada a las letras frente a los quebraderos de cabeza de su
antiguo compañero dedicado a la política (Hymni, páginas 250-255), o el poema de Lázaro Bonamico a Diego Hurtado de Mendoza en el que contrapone su vida «ociosa» a
la del militar al servicio del César y lo incita a abrazar los
estudios (J. Sannazaro, Opera, págs. 263-66).

XXII

A DON PEDRO PORTOCARRERO*

La cana y alta cumbre
de Ilíberi, clarísimo Carrero,
contiene en sí tu lumbre
ya casi un siglo entero,
y mucho en demasía   5
detiene nuestro gozo y alegría;
    los gozos, que el deseo
figura ya en tu vuelta y determina,
a do vendrá el Lyeo

---

* «A Don Pedro Portocarrero ausente» *(alfa).*

¹⁻² *La cana y alta cumbre / de Ilíberi:* como es habitual en Fray Luis, hay un especial gusto en que el primer verso guarde resonancias de primeros versos horacianos. En este caso es el famoso I,9,1-2: «Vides ut alta stet nive candidum / Soracte». Guarda el mismo corte versal de adjetivación y nombre propio. La adjetivación «alta nive» y «candidum» se transforma en «cana y alta cumbre» enriquecidos por la aliteración que prepara la de «clarísimo Carrero... contiene... casi» de los versos siguientes.

² *Ilíberi:* la antigua Illiberis, ciudad cercana a Granada, que se consideraba como equivalente a Granada.

³⁻⁶ El principio se hace eco lejano de Horacio IV,5,1-8: «Divis orte bonis, optime Romulae / custos gentis, abes *iam nimium diu;* / maturum reditum pollicitus patrum / Sancto concilio redi. / *Lucem* redde tuae, dux bone, patriae: / instar veris enim vultus.»

⁶⁻⁸ La idea es tópica en este tipo de poemas, cfr. Policiano, «Ad Laurentium Medicem iuniorem» vv.15-16: «Te tamen absentem mea mens oculique requirunt, / et desiderio torqueor usque tuo» *«Carmina Illustrium»,* II, f. 119v.

⁷ *deseo:* es un latinismo semántico que cubre el campo de *desiderium* 'echar' en falta', o sea, «los gozos que la falta que nos haces imagina...»

⁸ *determina:* Lapesa (pág. 124) sugiere que detrás de esta palabra se esconde el campo semántico de *determinare* 'señalar los límites'.

⁹ *Lyeo:* la edición de Quevedo trae «Lileo» que es *lectio difficilior* frente a «Lieo» de *alfa.* Macrí la pone en relación con un monte de la India, el *Lílaion* y de ahí con Dioniso, conquistador de La India. Pero que yo sepa no es un *cognomen* o epíteto conocido del dios. De hecho *Lílaios* (Lileo) es un mítico pastor indio que sólo adoraba a Selene y fue devorado por unos leones enviados por los otros dioses desairados (cfr. Pseudo Plutarco, *De flum.,* XXIV,4; hay ediciones de esta obra desde 1533, e

y de la Cabalina   10
fuente la moradora
y Apolo con la cítara cantora.
    Bien eres generoso
pimpollo de ilustrísimos mayores;
mas esto, aunque glorioso,   15
son títulos menores,
que tú, por ti venciendo,

---

incluso la tradujo Natalis Comes según Fabricius, *Bibliotheca Graeca*, II,
Hamburgo, 1708, pág. 364). Pero este tipo de oscuridad calimaquea no
es propia de Fray Luis, y, aunque es posible defender la lectura «Lileo»,
me parece más razonable suponer una errata de copia. Hay que tener en
cuenta que «Lieo» en latín es *Lyaeus,* con 'y', y así se escribía normalmen-
te en el siglo XVI, y seguramente lo escribiría así Fray Luis. En una lectura rápida es fácil confundir una 'y' con 'il', sobre todo si no se conoce
la palabra. Por eso prefiero la lectura «Lyeo», corrigiendo la grafía. Naturalmente, la invocación a «Lyeo» o Baco no tiene nada que ver con el
vino, sino con la advocación de Baco como inspirador de la poesía humilde, coronado de hiedra y propicio a los poetas (cfr. Horacio, *Od.* III,25,1
y II,19).

[10] *Cabalina: Fons Caballina.* Fuente en el monte Helicón consagrada a
la Musa («la moradora»). Beber de esa fuente despertaba la inspiración
poética.

[13] *Bien eres generoso:* 'De noble alcurnia' cfr. Oda IV,77. Cerca de esta
expresión está el intensivo horaciano *hic generosior* (III,1,10). Portocarrero efectivamente pertenecía a una ilustre familia de origen gallego que
descendía en una de sus ramas del Marqués de Villena y estaba emparentada con los Villena de Belmonte de donde era Fray Luis.

[15-17] *son títulos menores:* la crítica de gloria del linaje y la nobleza es
un tema de debate humanístico (cfr. F. Tateo, *Tradizione e realtà nell'U-
manesimo italiano*, Bari, 1967, págs. 355-421) y aparece también en las
obras en prosa de Fray Luis, por ejemplo *In Abdiam (Op.* III,67): «quibus
in lapicidinibus nonnulli homines, maximo iudicii errore seducti, consti-
tuunt totius verae dignitatis atque splendoris sedem atque domicilium, usque eo ut, quod a claris parentibus ortum ducant, ipsi omnibus vitiorum
maculis cooperti claros se esse et illustres putent: nec solum confidunt tur-
pitudinem suam iis in latebris maiorum abditam tegere sed splendescere
ex eo velint itaque tumeant ut prae se cunctos despiciant». (Citado por
Bell, 306.) La idea es senequista *(Ad Luc.* XLIV,5): «Quis est generosus
[bien eres generoso]? ad virtutem bene a natura compositus [...] Non facit nobilem atrium plenum fumosis imaginibus. Nemo in nostram glo-
riam vixit nec quod ante nos fuit, nostrum est; animus facit nobilem, cui
ex quacumque condicione supra fortunam licet surgere.» Y también boeciana *(De cons.* III,6,67): «quam futile nobilitatis nomen quis non videat?
que si ad claritudinem refertur aliena est. Videtur namque esse nobilitas

a par de las estrellas vas luciendo,
y juntas en tu pecho
una suma de bienes peregrinos,   20
por donde con derecho
nos colmas de divinos
gozos con tu presencia,
y de cuidados tristes con tu ausencia;
   porque te ha salteado   25
en medio de la paz la cruda guerra,
que agora el Marte airado
despierta en la alta sierra,
lanzando rabia y sañas
en las infieles bárbaras entrañas;   30
   do mete a sangre y fuego
mil pueblos el Morisco descreído,

---

quaedam de meritis veniens laus parentum. Quodsi claritudinem praedicatio facit, illi sint clari necesse est, qui praedicantur. Quare splendidum te, si tuam non habes, aliena claritudo non efficit». Aunque es un tópico antiguo refleja también una realidad: la de los segundones de las familias hidalgas del XVI, y don Pedro Portocarrero lo era. No podían beneficiarse de los títulos de nobleza que comportaba el mayorazgo y forzosamente tenían que «vencer» por sí mismos como le dice Fray Luis. Inevitablemente hay un cierto desprecio por lo que injustamente no se ha podido tener.

[19-24] Es un elogio retórico del personaje a partir de sus dotes. Véase por ejemplo conceptos similares en Juan de Vilches, «Ad Franciscum Delgadillum» (f.81): «Delgadille, tuum qui raris dotibus ornas / ingenium, et morum nobilitate genus; / candida quem virtus cunctis proponit amandum, / nam geris ipse viris pectora amanda bonis.» Menéndez y Pelayo remite para estos versos a la *Olímpica* I de Píndaro traducida por Fray Luis, vv.23-25: «Y dentro en sí cogido / lo bueno y la flor tiene / de cuanto valor cabe en pecho humano.»

[25] *salteado:* es palabra querida de Fray Luis (cfr. *Oda* XIV,42) para expresar el surgir de un mal inesperado y súbito. Garcilaso la utiliza también con significado metafórico (*Can.* IV,53). Se refiere naturalmente a la guerra de las Alpujarras (1568-1670).

[27-36] Hay ecos de Garcilaso, *Can.* V, 13 y ss.: «el fiero Marte ayrado ... de polvo y sangre y de sudor teñidos».

[28] La sierra de las Alpujarras.

[32] *morisco descreído:* la religión islámica permite en condiciones de persecución la abstención de cumplir los preceptos y fingir adoptar exteriormente la religión que se les quiere imponer; cosa que practicaron buena parte de los musulmanes que se quedaron en España y pasaron por los bautismos forzados en masa tras la conquista de Granada. Cfr. L. Car-

a quien ya perdón ciego
hubimos concedido,
a quien en santo baño   35
teñimos para nuestro mayor daño,
   para que el nombre amigo �
(¡ay, piedad cruel!) desconociese
el ánimo enemigo
y ansí más ofendiese: 40
mas tal es la fortuna,
que no sabe durar en cosa alguna.

   Ansí la luz, que agora
serena relucía, con nublados
veréis negra a deshora,   45
y los vientos alados
amontonando luego
nubes, lluvias, horrores, trueno y fuego.
   Mas tú que solamente

_____

daillac, _Moriscos y cristianos_, México, 1979, págs. 85 y ss. En XX, 123
aparece «el moro descreído».

[33] _perdón ciego:_ los perdones e intentos de evangelizar moriscos para
que accedieran voluntariamente al bautismo fueron múltiples y sin éxito.
Es injusto Fray Luis con estos pobres españoles de fe distinta, pero hay
que entender que detrás de los moriscos en armas se escondía el peligro
turco, los saqueos piratas de ciudades costeras apoyados por moriscos, etc.;
cfr. Cardaillac, págs. 82 y ss.

[36] _teñido:_ latinismo semántico. Cubre el campo de _tinguo,_ 'mojar', 'bañar'; cfr. Virg., _Aen._ 12,90-1: «Ensem quem... / Stygia candentem _tinxe-
rat unda»._ Alarcos (1981-82, pág. 41) señala que _tinctio_ se utiliza en latín
cristiano como 'bautismo', cfr. Christine Mohrman, _Études sur le latin des
chrétiens,_ I, Roma, 1961, 24.

[38] _¡ay piedad cruel!:_ este tipo de oxymoron es frecuente en la poesía
petrarquista. Sirve de puente entre los términos antitéticos «amigo-ene-
migo» (37 y 39). La puntuación de Quevedo en este caso: «piedad! cruel
desconociese» es totalmente inaceptable.

[43-48] La comparación de la tormenta con la revuelta social es clásica,
cfr. Virg., _Aen._ I,148: «ac veluti magno in populo cum saepe coorta est /
seditio...» La tormenta y el desencadenarse de las fuerzas de la naturaleza
simboliza la inestabilidad de las cosas sometidas a Fortuna. Es también
la desarmonía, la lucha de los contrarios que forman parte también de la
armonía del mundo.

[44-45] _con nublados / veréis negra:_ cfr. Virg., _Aen._ 2, 355: «atra in nebula».

[49] _tu que solamente:_ equivale a «tu qui solum» (_Macrí_)

temes al claro Alfonso, que, inducido   50
de la virtud ardiente
del pecho no vencido,
por lo más peligroso
se lanza discurriendo vitorioso:
    como en la ardiente arena   55
el líbico león las cabras sigue,
las haces desordena
y rompe y las persigue
armado relumbrando,
la vida por la gloria aventurando.   60
    Testigo es la fragosa
Poqueira, cuando él solo, y traspasado
con flecha ponzoñosa,
sostuvo denodado,
y convirtió en huida   65
mil banderas de gente descreída;
    mas sobre todo cuando,
los dientes de la muerte agudos fiera
apenas declinando,
alzó nueva bandera,   70
mostró bien claramente
de valor no vencible lo excelente.

---

[50] *temes al claro:* Varios manuscritos traen «del claro». La lectura correcta es la de *Quevedo* y refleja un crudo latinismo: *timeo* se puede construir con acusativo significando 'temer a alguien' y con dativo cuando significa 'temer por alguien' que es lo que quiere decir Fray Luis con «temes al».

[55-60] Quizá tenga presente a Horacio IV,4,13-18.

[61] *Testigo es:* cfr. también Oda XV,8. Es expresión horaciana (cfr. III,4,69) de la que parece gustar especialmente.

[62] *Poqueira:* la toma de Poqueira se dio el 13 de enero de 1569. Alfonso Portocarrero participó en la toma y, aún después de recibir varias heridas de flecha, siguió luchando con valentía.

[65-66] *convirtió en huida / mil banderas:* cfr. Horacio IV,4,23-24: «lateque victrices catervae / consiliis iuvenis revictae».

[68] *los dientes de la muerte agudos fiera:* hipérbaton en quiasmo. Quizá tuvo presente a Garcilaso, *Egl.* I,262: «a los agudos filos de la muerte!».

[69] *declinado:* latinismo semántico: *declinare* 'evitar', 'esquivar' (Lapesa, pág. 121).

Él pues relumbre claro
sobre sus claros padres; mas tú en tanto,
dechado de bien raro,   75
abraza el ocio santo;
que mucho son mejores
los frutos de la paz, y muy mayores.

XXIII

Esta doble quintilla debió circular mucho aunque los có-
dices *Lugo* y *Jovellanos* no la traen. Sobre ella se hicieron
glosas de frailes agustinos y dominicos en favor y en contra de la Inquisición. Y si no es una maravilla literaria sí
es un documento inapreciable del odio al Santo Tribunal
con el que se identificarían muchos hombres.

XXIII

[A LA SALIDA DE LA CÁRCEL]*

Aquí la envidia y mentira
me tuvieron encerrado.
Dichoso el humilde estado
del sabio que se retira
de aqueste mundo malvado,   5
y con pobre mesa y casa
en el campo deleitoso
con sólo Dios se compasa
y a solas su vida pasa,
ni envidiado ni envidioso.   10

73-74 Tenga su hermano la gloria militar sobre la gloria del linaje.
75 *dechado de bien raro:* calca expresiones latinas como *rarum formae
decus,* cfr. la anotación a IV,62.
76 *ocio santo:* el ocio dedicado a las Musas, cfr. M. A. Flaminio «Fas-
citelle, quid *otio* in *beato* / dictavit... Musa candida?», *Iacobi Sannazari
Opera,* pág. 280.
* En *Quevedo* no lleva título y los títulos «Al salir de la cárcel» o «Re-
dondillas a la salida de la cárcel» que traen algunos manuscritos me parecen extraños a la forma de titular y al estilo de Fray Luis.

POEMAS ATRIBUIDOS*

I

A NUESTRA SEÑORA

No viéramos el rostro al padre Eterno
alegre, ni en el suelo al Hijo amado
quitar la tiranía del infierno,
ni el fiero Capitán encadenado;
vivíéramos en llanto sempiterno,   5
durara la ponzoña del bocado,
serenísima Virgen, si no hallara
tal Madre Dios en vos donde encarnara.
Que aunque el amor del hombre ya había hecho
mover al padre Eterno a que enviase   10
el único engendrado de su pecho,
a que encarnando en vos le reparase,
con vos se remedió nuestro derecho,
hicistes nuestro bien se acrecentase,
estuvo nuestra vida en que quisistes,   15
Madre digna de Dios, y ansí vencistes.
No tuvo el Padre más, Virgen, que daros,
pues quiso que de vos Cristo naciese,
ni vos tuvistes más que desearos,

---

* En esta selección se incluyen otros poemas atribuidos a Fray Luis
que faltan en *Jovellanos* y *S. Felipe,* pero se encuentran en *Quevedo* y *Alcalá:* «No viéramos el rostro», «Los que tenéis en tanto». «En el profundo del abismo estaba». También publicó los dos epitafios que sólo aparecen en la *princeps:* «Aquí yacen de Carlos los despojos» y «Quien viera
el suntuoso». Por último se incluyen los cinco sonetos que faltan en *Jovellanos* y *S. Felipe* pero aparecen en *Quevedo* y *Alcalá.*

siendo el deseo tal, que en vos cupiese;   20
habiendo de ser Madre, contentaros
pudiérades con serlo de quien fuese
menos que Dios, aunque para tal Madre,
bien estuvo ser Dios el Hijo y Padre.

Con la humildad que al cielo enriquecistes   25
vuestro ser sobre el cielo levantastes;
aquello que fue Dios sólo no fuistes,
y cuanto no fue Dios, atrás dejastes;
alma santa del padre concebistes,
y al Verbo en vuestro vientre le cifrastes;   30
que lo que cielo y tierra no abrazaron,
vuestras santas entrañas encerraron.

Y aunque sois Madre, sois Virgen entera,
hija de Adán, de culpa preservada,
y en orden de nacer vos sois primera,   35
y antes que fuese el cielo sois criada.
Piadosa sois, pues la seriente fiera
por vos vio su cabeza quebrantada;
a Dios de Dios bajáis del cielo al suelo,
del hombre al hombre alzáis del suelo al cielo.   40

Estáis agora, Virgen generosa,
con la perpetua Trinidad sentada,
do el Padre os llama Hija, el Hijo Esposa,
y el Espíritu Santo dulce Amada.
De allí con larga mano y poderosa   45
nos repartís la gracia, que os es dada;
allí gozáis, y aquí para mi pluma,
que en la esencia de Dios está la suma.

[25-30] Las rimas en -astes calcan el mismo procedimiento de Garcilaso,
Son. X,9-13.

II

DEL MUNDO Y SU VANIDAD

Los que tenéis en tanto
la vanidad del mundanal ruido,
cual áspide al encanto
del Mágico temido,
podréis tapar el contumaz oído.   5
   Porque mi ronca musa,
en lugar de cantar como solía,
tristes querellas usa,
y a sátira la guía
del mundo la maldad y tiranía.   10
   Escuchen mi lamento
los que, cual yo, tuvieren justas quejas,
que bien podrá su acento
abrasar las orejas,
rugar la frente y enarcar las cejas.   15
   Mas no podrá mi lengua
sus males referir, ni comprehendellos,
ni sin quedar sin mengua
la mayor parte dellos,
aunque se vuelven lenguas mis cabellos.   20
   Pluguiera a Dios que fuera
igual a la experiencia el desengaño,
que daros le pudiera,
porque, si no me engaño,
naciera gran provecho de mi daño.   25
   No condeno del mundo
la máquina, pues es de Dios hechura;
en sus abismos fundo
la presente escritura,
cuya verdad el campo me asegura.   30
   Inciertas son sus leyes,
incierta su medida y su balanza,
sujetos son los reyes,

y el que menos alcanza,
a miserable y súbita mudanza.   35

    No hay cosa en él perfecta;
en medio de la paz arde la guerra,
que al alma más quieta
en los abismos cierra,
y de su patria celestial destierra.   40

    Es caduco, mudable,
y en sólo serlo más que peña firme;
en el bien variable,
porque verdad confirme
y con decillo su maldad afirme.   45

    Largas sus esperanzas
y, para conseguir, el tiempo breve;
penosas las mudanzas
del aire, sol y nieve,
que en nuestro daño el cielo airado mueve.

    Con rigor enemigo   50
las cosas entre sí todas pelean,
mas el hombre consigo;
contra él todas se emplean,
y toda perdición suya desean.

    La pobreza envidiosa,   55
la riqueza de todos envidiada;
mas ésta no reposa
para ser conservada,
ni puede aquélla tener gusto en nada.

    La soledad huida   60
es de los por quien fue más alabada,
la trápala seguida
y con sudor comprada
de aquellos por quien fue menospreciada.

    Es el mayor amigo   65
espejo, día, lumbre en que nos vemos;

---

³⁷ Cfr. Oda XXII,26: «en medio de la paz la cruda guerra»
⁴⁸⁻⁵⁰ Cfr. Oda XVII,218-29: «Los bienes más queridos y mayores / se
mudan, y en mi daño se conjuran.»
⁶³ *trápala:* 'ruido de voces' *(Dicc. Aut.)*

en presencia testigo
del bien que no tenemos,
y en ausencia del mal que no hacemos.   70
    Pródigo en prometernos
y, en cumplir tus promesas, mundo, avaro,
tus cargos y gobiernos
nos enseñan bien claro
que es tu mayor placer, de balde, caro.   75
    Guay del que los procura,
pues hace la prisión, a do se queda
en servidumbre dura,
cual gusano de seda,
que en su delgada fábrica se enreda.   80
    Porque el mejor es cargo,
y muy pesado de llevar agora,
y después más amargo,
pues perdéis a deshora
su breve gusto que sin fin se llora.   85
    Tal es la desventura
de nuestra vida, y la miseria della,
que es próspera ventura
nunca jamás tenella
con justo sobresalto de perdella.   90
    ¿De dó, señores, nace
que nadie de su estado está contento,
y más le satisface
al libre el casamiento,
y al que es casado el libre pensamiento?   95
    «¡Oh, dichosos tratantes!»,
ya quebrantado del pegado hierro,
escapado denantes
por acertado yerro,
dice el soldado en áspero destierro,   100
    «que pasáis vuestra vida
muy libre ya de trabajosa pena,
segura la comida

---

85 Cfr. XII,19-20: «una menguada hora, / un gozo breve que sin fin se
llora».

y mucho más la cena,
llena de risa y de pesar ajena». 105
    «¡Oh, dichoso soldado!»,
responde el mercader del espacioso
mar en alto llevado,
«que gozas de reposo
con presta muerte o con vencer glorioso». 110
    El rústico villano
la vida con razón invidia y ama
del consulto tirano,
que desde la su cama
oye la voz del consultor que llama; 115
    el cual, por la fianza
del campo a la ciudad por mal llevado,
llama, sin esperanza
del buey y corvo arado,
al ciudadano bienaventurado. 120
    Y no sólo sujetos
los hombres viven a miserias tales,
que por ser más perfetos
lo son todos sus males,
sino también los brutos animales. 125
    Del arado quejoso,
el perezoso buey pide la silla,
y el caballo brioso
(mirad qué maravilla)
querría más arar que no sufrilla. 130
    Y lo que más admira,
mundo cruel, de tu costumbre mala,
es ver cómo el que aspira
al bien, que le señala
su misma inclinación, luego resbala. 135
    Pues no tan presto llega
al término por él tan deseado,
cuando es de torpe y ciega
voluntad despreciado,
o de fortuna en tierno agraz cortado. 140

---

[113] *consulto tirano:* 'jurisconsulto sin piedad'.

Bastáranos la prueba
que en otros tiempos ha la muerte hecho,
sin la funesta nueva
de don Juan, cuyo pecho
alevemente della fue deshecho.   145
    Con lágrimas de fuego,
hasta quedar en ellas abrasado
o, por lo menos, ciego,
de mí serás llorado,
por no ver tanto bien tan malogrado.   150
    La rigurosa muerte,
del bien de los cristianos invidiosa,
rompió de un golpe fuerte
la esperanza dichosa,
y del infiel la pena temerosa.   155
    Mas porque de cumplida
gloria no goce —de morir tal hombre—
la gente descreída,
tu muerte les asombre
con sólo la memoria de tu nombre.   160
    Sientan lo que sentimos;
su gloria vaya con pesar mezclada;
recuérdense que vimos
la mar acrecentada
con su sangre vertida y no vengada.   165
    La grave desventura
del Lusitano, por su mal valiente,
la soberbia bravura
de su bisoña gente,
desbaratada miserablemente,   170
    siempre debe llorarse,
si, como manda la razón, se llora;
mas no podrá jactarse
la parte vencedora,
pues reyes dio por rey la gente mora.   175

---

[144] *don Juan:* don Juan de Austria, muerto el 1-X-1578.
[158] *descreído:* cfr. XXII,32: «Morisco descreído».
[167] El rey Sebastián de Portugal que fue derrotado en Alcazarquivir por
su poca experiencia (4-VIII-1578).

Ansí que nuestra pena
no les pudo causar perpetua gloria,
pues, siendo toda llena
de sangrieta memoria,
no se pudo llamar buena vitoria.   180

Callo las otras muertes
de tantos reyes en tan pocos días,
cuyas fúnebres suertes
fueron anatomías,
que liquidar podrán las peñas frías.   185

Sin duda cosas tales,
que en nuestro daño todas se conjuran,
de venideros males
muestras nos aseguran
y al fin universal nos apresuran.   190

¡Oh, ciego desatino!,
que llevas nuestras almas encantadas
por áspero camino,
por partes desusadas,
al reino del olvido condenadas.   195

Sacude con presteza
del leve corazón el grave sueño
y la tibia pereza,
que con razón desdeño,
y al ejercicio aspira que te enseño.   200

Soy hombre piadoso
de tu misma salud, que va perdida;
sácala del penoso
trance do está metida:
evitarás la natural caída,   205

a la cual nos inclina
la justa pena del primer bocado;
mas en la rica mina
del inmortal costado,
muerto de amor, serás vivificado.   210

---

187 Cfr. *supra* vv.48-50.
195 Cfr. oda XVI,30.

Audrey Bell considera esta oda relacionada con la *Canção* XI de Camoens: «Vinde cá, mentao certo secretario».

III

DEL CONOCIMIENTO DE SÍ MISMO

Canción

En el profundo del abismo estabas
del no ser encerrado y detenido,
sin poder ni saber salir afuera,
y todo lo que es algo en mí faltaba,
la vida, el alma, el cuerpo y el sentido;   5
y en fin, mi ser no ser entonces era,
y así de esta manera
estuve eternamente
nada visible y sin tratar con gente,
en tal suerte que aun era muy más buena   10
del ancho mar la más menuda arena;
y el gusanillo de la gente hollado
un rey era, conmigo comparado.
    Estando, pues, en tal tiniebla oscura,
volviendo ya con curso presuroso   15
el sexto siglo el estrellado cielo,
miró el gran Padre, Dios de la natura,
y viome en sí benigno y amoroso,
y sacóme a la luz de aqueste suelo,
vistióme de este velo,   20
de flaca carne y güeso,

---

[16] *siglo:* es la sexta edad del mundo, desde la llegada de Cristo *usque quo mundus iste finiatur* (Isid., *Etym.,* V,38,6).

mas diome el alma, a quien no hubiera peso,
que impidiera llegar a la presencia
de la divina e inefable Esencia,
si la primera culpa no agravara   25
su ligereza y alas derribara
    ¡Oh culpa amarga, y cuánto bien quitaste
al alma mía! ¡Cuánto mal hiciste!
Luego que fue criada y junto infusa,
tú de gracia y justicia la privaste,   30
y al mismo Dios contraria la pusiste;
ciega, enemiga, sin favor, confusa,
por ti siempre rehúsa
el bien, y la molesta
la virtud, y a los vicios está presta;   35
por ti la fiera muerte ensangrentada,
por ti toda miseria tuvo entrada,
hambre, dolor, gemido, fuego, invierno,
pobreza, enfermedad, pecado, infierno.
    Así que en los pañales del pecado   40
fui, como todos, luego al punto envuelto
y con la obligación de eterna pena,
con tanta fuerza y tan estrecho atado,
que no pudiera de ella verme suelto
en virtud propia ni en virtud ajena,   45
sino de aquella (llena
de piedad tan fuerte)
bondad, que con su muerte a nuestra muerte
mató, y gloriosamente hubo deshecho,
rompiendo el amoroso y sacro pecho,   50
de donde mana soberana fuente
de gracia y de salud a toda gente.
    En esto plugo a la bondad inmensa
darme otro ser más alto que tenía,
bañándome en el agua consagrada;   55
quedó con esto limpia de la ofensa,
graciosísima y bella el alma mía,
de mil bienes y dones adornada;
en fin, cual desposada
con el Rey de la gloria,   60

¡oh, cuán dulce y suavísima memoria!,
allí la recibió por cara Esposa,
y allí le prometió de no amar cosa
fuera de él o por él, mientras viviese.
¡Oh, si, de hoy más siquiera, lo cumpliese!   65
    Crecí después y fui en edad entrando;
llegué a la discreción, con que debiera
entregarme a quien tanto me había dado,
y, en vez de esto la lealtad quebrando,
que en el bautismo sacro prometiera   70
y con mi propio nombre había firmado,
aún no hubo bien llegado
el deleite vicioso
del cruel enemigo venenoso,
cuando con todo di en un punto al traste.   75
¿Hay corazón tan duro en sí, que baste
a no romperse dentro en nuestro seno,
de pena el mío, de lástima el ajeno?
    Más que la tierra queda tenebrosa,
cuando su claro rostro el sol ausenta   80
y a bañar lleva al mar su carro de oro;
más estéril, más seca y pedregosa,
que cuando largo tiempo está sedienta,
quedó mi alma sin aquel tesoro,
por quien yo plaño y lloro,   85
y hay que llorar contino,
pues que quedé sin luz del Sol divino,
y sin aquel rocío soberano,
que obraba en ella el celestial verano;
ciega, disforme, torpe y a la hora   90
hecha una vil esclava de señora.
    ¡Oh, Padre inmenso, que inmovible estando
das a las cosas movimiento y vida,
y las gobiernas tan suavemente!,
¿qué amor detuvo tu justicia, cuando   95
mi alma tan ingrata y atrevida,

⁹¹ Cfr. VI,45.
⁹⁶⁻¹⁰⁰ Cfr. *Jer.* 2,13: «Me dereliquerunt fontem aquae vivae, et foderunt sibi cisternas, cisternas dissipatas»

dejando a ti, del bien eterno fuente,
con ansia tan ardiente
en aguas detenidas
de cisternas corruptas y podridas,   100
se echó de pechos ante tu presencia?
¡Oh, divina y altísima clemencia,
que no me despeñases al momento
en el largo profundo del tormento!

Sufrióme entonces tu piedad divina   105
y sacóme de aquel hediondo cieno,
do, sin sentir aún el hedor, estaba
con falsa paz el ánima mezquina,
juzgando por tan rico y tan sereno
el miserable estado que gozaba,   110
que sólo deseaba
perpetuo aquel contento;
pero sopló a deshora un manso viento
del Espíritu eterno, y, enviando
un aire dulce al alma, fue llevando   115
la espesa niebla que la luz cubría,
dándole un claro y muy sereno día.

Vio luego de su estado la vileza,
en que, guardando inmundos animales,
de su tan vil manjar aún no se hartara;   120
vio el fruto del deleite y de torpeza
ser confusión, y penas tan mortales;
temió la recta y no doblada vara,
y la severa cara
de aquel Juez sempiterno;   125
la muerte, juicio, gloria, fuego, infierno,
cada cual acudiendo por su parte,
la cercan con tal fuerza y de tal arte,
que, quedando confuso y temeroso,
temblando estaba sin hallar reposo.   130

Ya que, en mí vuelto, sosegué algún tanto,
en lágrimas bañando el pecho y suelo,
y con suspiros abrasando el viento:

---

[132] Cfr. VI,35 y 81.

«Padre piadoso, dije, Padre santo,
benigno Padre, Padre de consuelo,   135
perdonad, Padre, aqueste atrevimiento;
a vos vengo, aunque siento,
de mí mismo corrido,
que no merezco ser de vos oído;
mas mirad las heridas que me han hecho   140
mis pecados, cuán roto y cuán deshecho
me tienen, y cuán pobre y miserable,
ciego, leproso, enfermo, lamentable.
   Mostrad vuestras entrañas amorosas
en recebirme agora y perdonarme,   145
pues es, benigno Dios, tan propio vuestro
tener piedad de todas vuestras cosas;
y si os place, Señor, de castigarme,
no me entreguéis al enemigo nuestro;
a diestro y a siniestro   150
tomad vos la venganza,
herid en mí con fuego, azote y lanza;
cortad, quemad, romped; sin duelo alguno
atormentad mis miembros de uno a uno,
con que, despúes de aqueste tal castigo,   155
volváis a ser mi Dios, mi buen amigo».
   Apenas hube dicho aquesto, cuando
con los brazos abiertos me levanta
y me otorga su amor, su gracia y vida,
y a mis males y llagas aplicando   160
la medicina soberana y santa,
a tal enfermedad constituida,
me deja sin herida,
de todo punto sano,
pero con las heridas del tirano   165
hábito, que iba ya en naturaleza
volviéndose, y con una tal flaqueza,
que, aunque sané del mal y su accidente,
diez años ha que soy convaleciente.

IV

El príncipe don Carlos al que se dedica el poema murió en 1568. Se trata de un esquema tópico de epigramas sepulcrares, cfr. el que dedica a Erasmo el poeta Hernán Ruiz de Villegas (pág. 227): «Humanum quodcumque habuit Erasmus, / restituit patrio mors violenta solo / sidera coelestis petiit mens, ossa sepulchrum / hoc tegit; at nomen vix bene terra capit.»

IV

EPITAFIO AL TÚMULO DEL PRÍNCIPE DON CARLOS

Aquí yacen de Carlos los despojos:
la parte principal volvióse al cielo,
con ella fue el valor; quedóle al suelo
miedo en el corazón, llanto en los ojos.

V

Sigue los esquemas de los epitafios antiguos y renacentistas. En la Antigüedad, las tumbas se colocaban en los caminos a la salida de las ciudades. Por eso el epitafio se dirige al viandante que «se para a mirar quién es el muerto» (v.5). El encuadre es frecuente en poesía neolatina, cfr. por ejemplo M. A. Flaminio, «Epitaphium Franciscae Sfortiae»: «Franciscae tumulo teguntur isto / Ossa Sfortiadis viator...» (*Carmina Quinque,* pág. 130).

V

CANCIÓN A LA MUERTE DEL MISMO

Quien viere el sumptuoso
túmulo al alto cielo levantado,
de luto rodeado,
de lumbres mil copioso,
si se para a mirar quién es el muerto,   5
será desde hoy bien cierto
que no podrá en el mundo bastar nada
para estorbar la fiera muerte airada.
    ni edad, ni gentileza,
ni sangre real antigua y generosa,   10
ni de la más gloriosa
corona la belleza,
ni fuerte corazón, ni muestras claras
de altas virtudes raras,
ni tan gran padre, ni tan grande abuelo,   15
que llenan con su fama tierra y cielo.
    ¿Quién ha de estar seguro,
pues la fénix que sola tuvo el mundo,
y otro Carlos segundo,
nos lleva el hado duro?   20
Y vimos sin color su blanca cara,
a su España tan cara,
como la tierna rosa delicada,
que fue sin tiempo y sin razón cortada.
    Ilustre y alto mozo,   25
a quien el cielo dio tan corta vida,
que apenas fue sentida,
fuiste breve gozo

---

[8] Cfr. XXII,68: «de la muerte agudos fiera».
[25] Cfr. IV,76: «Ilustre y tierna planta».
[28-29] Cfr. XII,20: «un gozo breve que sin fin se llora.»

y ahora luengo llanto de tu España,
de Flandes y Alemaña,   30
Italia y de aquel mundo nuevo y rico,
con quien cualquier imperio es corto y chico.
   No temas que la muerte
vaya de tus despojos vitoriosa;
antes irá medrosa   35
de tu espíritu fuerte,
las ínclitas hazañas que hicieras,
los triunfos que tuvieras;
y vio que a no perderte se perdía.
y ansí el mismo temor le dio osadía.

SONETOS

El soneto amoroso no desdice de la condición de clérigo
en el siglo XVI. Lo que sí es cierto es que Fray Luis, como
en sus odas, juega con la ambigüedad de la palabra que permite leer un texto a varios niveles: una lectura erótica muy
hermosa y una lectura fácil 'a lo divino'. Por lo demás, su
petrarquismo es genérico y nunca aparecen reminiscencias
textuales.

I

AMOR CASI DE UN VUELO

   Amor casi de un vuelo me ha encumbrado
adonde no llegó ni el pensamiento;
mas toda esta grandeza de contento
me turba, y entristece este cuidado,
   que temo que no venga derrocado   5
al suelo por faltarle fundamento;
que lo que en breve sube en alto asiento,
suele desfallecer apresurado.

---

[5] Cfr. Oda VI,56: «y toda derrocada».

mas luego me consuela y asegura
el ver que soy, señora ilustre, obra   10
de vuestra sola gracia, y que en vos fío:
porque conservaréis vuestra hechura,
mis faltas supliréis con vuestra sobra,
y vuestro bien hará durable el mío.

II

Sobre el tema de este soneto véase Petrarca, *Canz*. XV
(F. Lázaro, 1966, pág. 36).

II

ALARGO ENFERMO EL PASO

Alargo enfermo el paso, y vuelvo, cuanto
alargo el paso, atrás el pensamiento;
no vuelvo, que antes siempre miro atento
la causa de mi gozo y de mi llanto.
Allí estoy firme y quedo, mas en tanto   5
llevado del contrario movimiento,
cual hace el extendido en el tormento,
padezco fiero mal, fiero quebranto.
En partes, pues, diversas dividida

[9-14] Tienen como punto de partida la *Exposición del Libro de Job,* X,8:
«Tus manos me figuraron y me ficieron a la redonda ¿desfarme has? y
comenta (942): «Y aun dice, ¿Y desfacerme has?, como espantándome de
cosas que tan mal se responden, como son hacer una diligencia y deshacer
eso mismo sin causa, amar y desamar en un punto; con que, como dije,
persuade a Dios de nuevo que se ablande y mitigue, porque no es bien
que haga El lo que entre sí se compadece tan mal. Y porque esta razón
es de mucha fuerza, porque estriba en el querer de Dios, no mudable, y
en la condición del verdadero amor, que es constante, insiste más en ella
Job y particulariza el amor que le mostró, y los bienes que en él puso,
criándole.» El concepto de que el amado es obra de la amada aparece también en la poesía trovadoresca y en la poesía cancioneril castellana, como
en Garci Sánchez de Badajoz (*Cancionero castellano del siglo XV,* II, página 626; c fr. F. Lázaro, 1966, págs. 35-36).

el alma, por huir tan cruda pena,   10
desea dar ya al suelo estos despojos.
   Gime, suspira y llora dividida,
y en medio del llorar sólo esto suena:
—¿Cuándo volveré, Nise, a ver tus ojos?

III

Sobre la estructura de este soneto Lázaro Carreter remite a *Canz.* CCXCII, en el que Petrarca evoca también las diversas partes de la amada desaparecida.

III

AGORA CON LA AURORA

Agora con la aurora se levanta
mi Luz; agora coge en rico nudo
el hermoso cabello; agora el crudo
pecho ciñe con oro, y la garganta;
   agora vuelta al cielo, pura y santa,   5
las manos y ojos bellos alza, y pudo
dolerse agora de mi mal agudo;
agora incomparable tañe y canta.
   Ansí digo y, del dulce error llevado,
presente ante mis ojos la imagino,   10
y lleno de humildad y amor la adoro;
   mas luego vuelve en sí el engañado
ánimo y, conociendo el desatino,
la rienda suelta largamente al lloro.

---

² 'Luz' con mayúscula, cfr. Son. V,1.

IV

Puede ponerse en relación con *Canz.* CXLVI: «O d'ardente vertute ornata e calda» o con el CCLIII: «O dolci sguardi, o parolette acorte», de temática similar, aunque en ningún caso se trata de una dependencia textual (cfr. Lázaro, *ibid.*, pág. 37).

IV

¡OH CORTESÍA

¡Oh cortesía, oh dulce acogimiento,
oh celestial saber, oh gracia pura,
oh, de valor dotado y de dulzura,
pecho real, honesto pensamiento!
   ¡Oh luces, del amor querido asiento,   5
oh boca, donde vive la hermosura,
oh habla suavísima, oh figura
angelical, oh mano, oh sabio acento!
   Quien tiene en solo vos atesorado
su gozo y vida alegre y su consuelo,   10
su bienaventurada y rica suerte,
   cuando de vos se viere desterrado,
¡ay! ¿qué le quedará sino recelo,
y noche y amargor y llanto y muerte?

V

Este soneto se ha puesto tradicionalmente en relación con Petrarca, LXXXIX: «Passa la nave mia colma d'oblio»

V

DESPUÉS QUE NO DESCUBREN

Después que no descubren su lucero
mis ojos lagrimosos noche y día,
llevado del error, sin vela y guía,
navego por un mar amargo y fiero.
El deseo, la ausencia, el carnicero   5
recelo, y de la ciega fantasía
las olas más furiosas a porfía
me llegan al peligro postrimero.
Aquí una voz me dice: cobre aliento,
señora, con la fe que me habéis dado   10
y en mil y mil maneras repetido.
Mas, ¿cuánto deseo allá llevado ha el viento?,
respondo: y a las olas entregado,
el puerto desespero, el hondo pido.

---

[1] El manuscrito *Alcalá* trae «Lucero», con mayúscula, por lo que Vega sugiere que se refiere a una persona concreta. Quizá porque en *Alcalá* se supone referido a la Virgen y se pone con mayúscula como los nombres sacros de «No viéramos el rostro al Padre Eterno», por ejemplo el verso 44: «Amada».
[14] *pido:* latinismo, cfr. XIV,48: «el hondo pide abierta».

POESÍA NEOLATINA

Estos dos poemas se editaron al principio y al final respectivamente de *In Canticum Canticorum Salomonis Explanatio,* Salamanca, 1580 y son los únicos que imprimió en vida Fray Luis. Conservamos el ejemplar de esa obra que se presentó a la Censura Inquisitorial (Biblioteca de la Real Academia de la Historia, 9-27-6 [5324]). Según *Vega* ahí se encuentran autógrafas y con correcciones de nuestro poeta estas dos composiciones. La primera está escrita en dísticos, como epigrama, y la segunda en el sistema asclepiadeo segundo. Reproducimos el texto de *Macrí.*

Voto

Qué espíritu y cuánto fuego llena mi mente y me inflama, y con cuánto amor me enardece Dios mientras desvelo e interpreto el significado del divino poema que antaño compuso Salomón (5) inspirado por la divinidad; oh Virgen, amada profundamente por el supremo Júpiter, de cuyo seno surgió el mismo Amor, haz que en mi pensamiento afloren los sentidos correctos, las palabras adecuadas y el sagrado fuego. Para que una vez acabado el duro trabajo (10), diosa, celebre tus alabanzas en un canto de gracias.

VOTUM

Quo mens plena Deo quantoque exaestuat igne
   Inque vicem quanto flagrat amore Deus,
Dum resero interpres divini carminis, olim
   Numinis impulsu quod cecinit Salomon,
Supremo, o Virgo, penitus dilecta Tonanti,   5
   Ipse Amor e cuius prosiluit gremio,
Da sensus rectos, da verba decentia, posse
   Da sanctos ignes pectore concipere;
Scilicet, ut magno perfunctus munere laudes,
   Diva, tuas grato carmine concelebrem.

---

[1] *plena Deo:* verso virgiliano perdido del que da noticia Séneca, *Suasoriae*, III,5, y se refiere a una profetisa; cfr. el *Genethliacon* de Fracastorio antes citado (págs. 85-86) v. 1; *Quo...plena:* cfr. Horacio, *Od.* III,25,1-2: «Quo me, Bacche, rapis tui / plenum». El proceso de enajenación poética por posesión del dios es un tópico renacentista, cfr. Policiano, *Nutricia,* págs. 164-165: «Mens prior it pessum, tum clausus inaestuat alto / Corde deus, toto lymphatos pectore sensus / Exstimulans» *(Carmina Illustrium,* II, f. 59).

[7-8] *Da c. inf.* es la fórmula de súplica del himno, cfr. Virg. *Aen.* VI, 697-98: «da iungere dextram / da genitor»; Hor. *Epist.* I,16,61: «da mihi fallere, da iusto sanctoque videri»; Sobre la cristianización de esta doctrina del éxtasis entusiástico, cfr. L. Gil «Inspiración poética y teopnusia bíblica» en *Los antiguos y la Inspiración Poética,* Madrid, 1966, págs. 182-85, E. R. Curtius, *Literatura Europea y Edad Media Latina,* II, México, 1955, págs. 667-68; A. Chastel, *Marsile Ficin et l'Art,* Ginebra, 1975, págs. 129-134; E. Bigi, *La cultura del Poliziano e altri studi umanistici,* Pisa, 1967, págs. 93-95; *ignes pectore concipere:* cfr. Virg. *Aen.* IV,501-2: «mente furores / concipit».

Poema exvoto a María madre de Dios

Sin daño ya llegué a puerto pues proteges tú mi nave, la mayor de las vírgenes, aunque fui zarandeado gravemente y Proteo levantó sus huestes contra mí. A ti la justicia, el pudor, la verdad desnuda (5), el afán de justicia, la llaneza poderosa y la mente bien despierta a no dejarse domeñar te siguen las pisadas. Inmerso en los remolinos del mar engañoso, con esa compañía, tú me haces emerger al goce del aire del día (10) y a la felicidad de los mejores lugares destinados. Generosa me concedes la lira con que el Santo Salomón dulcificaba las alturas de Jerusalén; aguijoneado por la llama de amor abro el pecho herido (15) con un noble canto. Regalado me arrancas de las viles preocupaciones y elevado hasta el mundo de la luz me admites temeroso en los interiores del templo e insuflas en mi alma un nuevo canto (20). Huye impiedad, ya se abren los sagrados interiores del cielo, ya me parece oír los píos sones, los gozos que alimentan a los que cantan en metros alternados los santos tálamos. Por una parte un grupo de vírgenes (25) cantan llamando al esposo, por otra un brillante coro de jóvenes selectos hace repicar los dulces nombres de la madre y de la esposa.

Vírgenes: ¿no oyes? ¿Qué pastos te detienen, díme, bien mío, dónde te recuestas, mientras el ardiente sol pisa (30) la mitad del cielo, para que no vaya sin rumbo e insegura por los montes?

Jóvenes: ¡Oh abre las puertas, Virgen más hermosa que una estrella! Oh, ¿por qué no lo haces? La negra noche cae encima y silba el viento y tengo húmeda la cabeza por el agua del cielo (35).

Vírgenes: Los que habitáis en las florestas, coro hábil en tensar las cuerdas del arco, decid vírgenes al amado que se apresure, pues ardo y languidezco herida del cruel amor (40).

Jóvenes: ¡Oh ninfas del Hermón! Que podáis ensartar con mano firme y rápido venablo las cabras, pero no inte-

AD DEI GENITRICEM MARIAM
CARMEN EX-VOTO

Te servante ratem, maxima virginum,
Iam portum, incolumis, iam teneo, licet
Iactatus graviter, dum sua Protheus
    In nos suscitat agmina.
Te fas, teque pudor, nudaque veritas,   5
Et recti studium et simplicitas potens,
Et frangi indocilis mens bene conscia
    Coniuncto sequitur pede.
His tu me sociis, aequoris improbi
Mersum vorticibus, lucis ad aureae   10
Usuram revocas, et melioribus
    Iaetum constituis locis,
Et donas facilis, qua sacer Idida
Mulcebat Iebusi culmina barbito;
Dum flammae impatiens pectora saucia   15
    Pandit carmine nobili.
Donatum et studiis vilibus eripis,
Illatumque polo lucis ad intima

[1-5] *Te... Te fas teque:* cfr. Hor., *Od.* I,28,1: «Te maris et terrae nume-
roque».

[5-7] Cfr. XVII,58-60 y XV,23-5.

[5-6] *pudor, nudaque veritas, / et recti studium:* cfr. Hor., *Od.* I,24,6-7:
«cui Pudor et Iustitiae soror, / incorrupta Fides, nudaque Veritas».

[6] *simplicitas:* cfr. *Ad Eph.* 6,5 «in simplicitate cordis» (y *Ad
Col.* 3,22: *Act.* 2,46).

[7] *mens bene conscia:* Boecio, *De cons.* II,7,42: «bene sibi mens conscia»; Lucr. VI,393: «mens sibi conscia factis».

[10-11] *lucis usuram:* cf. Cicerón, *Rabir.,* 48: «Ut huic optimo viro usuram
huius lucis».

[13] *Idida:* Salomón.

[14] *Iebusi* 'de Jerusalén'.

[15-16] La primera versión de estos versos en el ms. de la Academia de
la Historia reza: «Dum premit teneri pectoris aestus / Lenit carmine no-
bili».

[18-19] *intima...templa:* cfr. Cic., *Mil.* 33,90: «templa...intima»; Lucr.
V,104: «mentis templa».

rrumpáis el profundo silencio ni el plácido sueño de mi amada.

Vírgenes: Como el cedro con su altura (45) sobrepasa al resto de los árboles del bosque en las sagradas cumbres del Líbano, así mi amor saca su hermosa cabeza entre los jóvenes.

Jóvenes: Como la rosa cuando abre su purpúrea boca brilla entre los espinos de Sión (50), así superas a las vírgenes, esposa mía, por la egregia luz de tu belleza.

Vírgenes: ¿Acaso no deseo escuchar su voz amable? ¿Me equivoco? Por el contrario, ya está llamando escondido tras la puerta que nos separa, ya brilla su cabeza de oro (55) entre las rejas.

Jóvenes: ¿Por qué te tardas? Se fue el frío invierno expulsado por los tibios vientos, ya cesan las graves lluvias, la tierra cambiante resplandece con sus flores de muchos colores (60). Oíd ya cantar a las tórtolas su canto quejumbroso, ya resonó la hoz en las colinas de las viñas y la higuera produjo sus dulces frutos. Levántate, apresúrate vida mía, más querida (65) que mis propios ojos! ¡Levántate palomilla, a la que las paredes erosionadas y las grutas rocosas proporcionan nidos agradables! ¡Oh, muestra tu rostro, que tu voz resuene en mis oídos, esposa, pues nada es más dulce (70) que tu palabra, ni más fúlgido y brillante que tu rostro!

Vírgenes: corre como la cierva en los montes intrasitables, corre como el venado asustado de todo o porque sonó una voz sin que en el bosque hubiera movimiento alguno (75), ¡amado, vuelve a mí igual que ellos!

Estos versos cantan alternando con claras voces el coro de jóvenes selectos y doncellas. La divina asamblea aplaude y resuenan alegres los palacios del cielo (80).

Admittis pavidum templa, animum et novi
    Inspiras mihi carminis.   20
    Abscede, impietas, iam penetralia
Caeli sacra patent, iam videor pios
Exaudire sonos, alma canentium
    Alterno pede gaudia
    Et sanctos thalamos: hinc bona virginum   25
Sponsum turba sonant, hinc nitidus chorus
Lectorum iuvenum dulcia matris et
    Sponsae nomina concrepant.

VIRG. Audin? Quae teneas, dic, bone, pascua,
Quo, dilecte, cubes, dum terit igneus   30
Sol caeli medium, ne vaga montibus
    Incerto pede deferar.
IUV. O reclude fores, sidere pulchrior
Virgo, o cur renuis, nam irruit atra nox,
Et venti resonant, aethereaque aqua   35
    Perfusus madeo caput.
VIRG. Quae saltus colitis, callida tendere
Nervos turba, meo dicite virgines
Dilecto, ut properet, nam aestuo, amoreque
    Saevo saucia langueo.   40
IUV. O nymphae Hermonides, sic capreas manu
Sit certa et celeri cuspide figere:
Dilectae placidum parcite rumpere

---

[24] *Alterno pede:* Cfr. Hor., *Od.* I,4-7: «Alterno terram quatiunt pede».
[33-36] Cfr. *Canticum Canticorum* 5,2: «Aperi mihi soror mea, amica mea...quia caput meum plenum est rore».
[34] *irruit atra nox:* Virg., *Aen.* II,250: «ruit Oceano nox» y VI,272: «nox abstulit atra colorem».
[37-38] *callida...nervos:* cfr. Hor., *Od.* III,11,3-4: «Tuque, testudo, resonare septem / callida nervis».
[38-40] *dicite...langueo: Cant.* 5,8: «ut nuntietis ei quia amore langueo»; Cic., *Coel,* 8,18: «Medea animo aegro, amore saevo saucia».
[41] *nymphae Hermonides: Cant. 3,11 et passim:* «filiae Sion».
[42] *cuspide figere:* cfr. Ov., *Met.* XIII,380: «Saepe fera torvos cuspide fixit».
[43-44] Cf. *Cant.* 2,7: «ne suscitetis, neque evigilare faciatis dilectam quoadusque ipsa velit»; *alta silentia:* Virg., *Aen.* X,63: «quid me alta silentia cogis rumpere?»

Somnum atque alta silentia.
VIRG. Ut silvas reliquas ardua vertice   45
Praecellit Libani culminibus sacris
Cedrus, sic iuvenes inter amor meus
    Formosum caput extulit.
IUV. Adnatas nitet ut purpureo rosa
Spinas inter hians ore Sionias,   50
Sic formae egregio lumine virgines,
    O coniunx mea, praeteris.
VIRG. Aure an ne cupida vocem ego amabilem?
An fallor potius? quin vocat abditus
Obiectis foribus, quin caput aureum   55
    Inter reticula emicat!
IUV. Quid cessas? abiit pulsa tepentibus
Auris frigida hiems, iam pluviae graves
Iam cessant, varie floribus enitet
    Tellus multicoloribus   60
Iam cantu quaerulo carmina turtures
Auditi canere et iam crepuit iugis
Falx in vitiferis, et sua protulit
    Ficus dulcia germina.
O surge, o propera, carior o mihi   65

46-47 Cfr. *Cant.* 5,15: «Species eius ut Libani, electus ut cedri.»

49-50 *Cant.* 2,2: «sicut lilium inter spinas sic amica inter filias»

50 Prefiero la lectura *Sionias* que trae Vega a la lectura *Sydonias* de *Macrí*.

57 *Quid cessas?*: cfr. Ter., *Andr.* V,6,15: «Quid stas? quid cessas?

57-58 *tepentibus auris:* cfr. Virg., *G.* II,330: «Zephyrique tepentibus auris laxant arva sinus.»

57-64 *Cant.* 2,10-12: «Iam enim hiems transiit; imber abiit et recessit. Flores apparuerunt in terra nostra, tempus putationis advenit: vox turturis audita est in terra nostra, ficus protulit grossos suos.»

58 *pluviae graves:* Ov., *Fast.* II,71: «saepe graves pluviae adopertus».

59 *floribus enitet:* Catulo 61,21: «Floridis velut enitens Myrtus Asia ramulis»

61 Cfr. Virg., *Egl.* 1,59: «nec gemere aeria cessabit turtur ab ulmo».

65-72 *Cant.* 2,13-14: «Surge, amica mea..et veni columba mea, in foraminibus petrae, in caverna maceriae, ostende mihi faciem tuam, sonet vox tua in auribus meis; vox enim tua dulcis et facies tua decora».

65-66 *carior mihi / Ipsis vita oculis:* Catulo 82,1: «aut aliud si quid carius est oculis» y 14,1: «Ni te plus oculis meis amarem»; y el catuliano

Ipsis vita oculis, surge, columbula,
Exesus paries vel cava saxea
    Cui dant grata cubilia.
    Ostende, o!, faciem, vox tua personet
Aures, sponsa, meas, nam neque dulcius   70
Quicquam est eloquio, nec mage fulgidum
    Aut pulchrum facie est tua.
VIRG. Quantum cerva micat montibus aviis
Quantumque hinnuleus, dum paver omnia,
Seu vox insonuit, seu nemus infremit,   75
    Dilecte, haud secus advola!
    Haec lecti iuvenes turbaque virginum
Alternant liquido gutture: caelitum
Applaudit manibus coetus, et insonant
    Caeli laeta palatia.   80

Navagero, *Carmina Illustrium,* II, f. 44: «Dispeream nisi tu vita mihi carior ipsa, / Atque anima atque oculis es mea Hyella meis.»

    66-68 La primera redacción reza: «Ipsis vita oculis pulchrior aurea / Co-
lumba paries cui vetus aut lapis / Praestare grata cubilia»; la versión de-
finitiva es más rica en eufonía y aliteraciones.

    78 *liquido gutture:* Cant. 7,9: gutur tuum sicut vinum optimum»; Virg.,
G. I,410-11: «Tum liquidas corvi presso ter gutture voces / aut quater in-
geminant.»